Pierre Marmiesse

Sous le signe d'Exu
Manipulation

la courte échelle

Les éditions de la courte échelle inc.
160, rue Saint-Viateur Est, bureau 404
Montréal (Québec) H2T 1A8
www.courteechelle.com

Révision:
Luc Asselin

Conception graphique de l'intérieur:
L'atelier Lineski

Dépôt légal, 2ᵉ trimestre 2011
Bibliothèque nationale du Québec

La courte échelle reconnaît l'aide financière du gouvernement du Canada par l'entremise du Fonds du livre du Canada pour ses activités d'édition. La courte échelle est aussi inscrite au programme de subvention globale du Conseil des Arts du Canada et reçoit l'appui du gouvernement du Québec par l'intermédiaire de la SODEC.

La courte échelle bénéficie également du Programme de crédit d'impôt pour l'édition de livres – Gestion SODEC – du gouvernement du Québec.

Catalogage avant publication de Bibliothèque et Archives nationales du Québec et Bibliothèque et Archives Canada

Marmiesse, Pierre

       Sous le signe d'Exu

       Sommaire: t. 3. Manipulation.
       Pour les jeunes de 12 ans et plus.

       ISBN 978-2-89651-622-3 (v. 3)

       I. Titre. II. Titre: Initiation. III. Titre: Folie. IV. Titre: Manipulation.

PS8626.A758S68 2010   jC843'.6   C2010-941248-6
PS9626.A758S68 2010

Imprimé au Canada

Pierre Marmiesse est né et a grandi à Paris. Diplômé en gestion d'entreprise de HEC-Paris, son goût pour le cinéma le porte vers le secteur audiovisuel. Producteur indépendant et consultant, il a longtemps partagé son temps entre la France et Los Angeles. Il a également travaillé et vécu au Brésil, découvert pendant ses études. Depuis 2005, il vit à Montréal, mais retourne régulièrement au Brésil. Il écrit depuis longtemps et consacre désormais l'essentiel de son temps à l'écriture.

Du même auteur, à la courte échelle:

Sous le signe d'Exu – Initiation
Sous le signe d'Exu – Folie

Agora eu era o herói
E o meu cavalo só falava inglês
A noiva do cowboy
Era você

Alors, j'étais le héros
Et mon cheval ne parlait qu'anglais
Et toi, tu étais la fiancée du cow-boy

João e Maria
Sivuca – Chico Buarque (1977)

Chapitre 1

Justin courait, buste droit, bras relâchés, les yeux dressés sur la silhouette sombre du *morro*[1] de Leme. Les mosaïques de l'*avenida* Atlântica brillaient sous les lampadaires. Le fracas des vagues noyées dans la nuit scandait ses foulées.

Après la fin sanglante de *Mestre* Cobra, Justin s'était mis à la course pour retrouver le sommeil. La fatigue avait eu raison de ses cauchemars. Son corps lui avait demandé de continuer. Ses allers-retours sur la plage de Copacabana étaient devenus une dépendance.

Justin avait évité les heures d'entraînement de son père et progressé à son rythme, mais ce dimanche soir, quand François D. était descendu de son bungalow en tenue de jogging, les mots avaient jailli d'eux-mêmes de la bouche de Justin :

---

1. Le lecteur trouvera à la fin du roman un glossaire des mots en langue étrangère.

— Je peux t'accompagner?

François D. l'avait regardé avec étonnement, puis avait hoché la tête. Justin avait craint de s'être surestimé, mais s'était calé sans peine sur son rythme. Il lui avait semblé courir plus vite seul.

Justin et François D. s'épiaient du coin de l'œil. François D. paraissait à la peine, haletant, les bras et le visage ruisselant de sueur; Justin respirait l'aisance, le souffle et la foulée aussi réguliers que le va-et-vient des vagues sur le sable.

Ils arrivèrent au bout de la plage. Sur le chemin taillé au flanc du *morro* de Leme, les pêcheurs à la ligne s'installaient pour la nuit.

Justin et François D. firent demi-tour. Copacabana étala sous leurs pieds ses quatre kilomètres de croissant lumineux. Ils dépassèrent deux kiosques où d'autres athlètes du dimanche se rassasiaient de bière, atteignirent le Copacabana Palace. Justin n'avait pas à lire les chiffres peints au sol pour connaître les distances. Deux kilomètres séparaient l'hôtel de l'*edifício* San Marco. Seul, Justin les parcourait en accélérant. Au coude-à-coude avec François D., il hésita. Il ne songeait pas à un coup d'État, mais un début de contestation.

Depuis le dernier printemps, Justin remettait en cause la loi paternelle par la *capoeira*. Chaque semaine, François D. et Justin s'y défiaient sans retenue. Même les rythmes suaves du *berimbau* de *Mestre* Luisinho ne les apaisaient pas. Motivés par leur rivalité, ils progressaient. Justin n'envisageait plus d'abandonner les séances de l'académie Arco-Íris avant d'avoir châtié son père. Deux semaines plus tôt, il l'avait jeté au sol d'une *rasteira*. Le nez dans le sable, François D. avait perdu le sourire.

Avec la course, Justin ouvrait un nouveau front contre son père. Il pensait y vaincre plus vite, mais pas ce soir. Il posa une banderille et il accéléra à peine. François D. haussa le rythme. Justin surenchérit. La partie de poker menteur s'engagea.

L'*edifício* San Marco approchait. François D. émettait des bruits de forge, un rictus déformait sa bouche, sa foulée s'alourdissait. Justin le crut à sa merci et sprinta. François D. remonta à son niveau et le regarda. Un sourire effaça son rictus :

— Le premier au fort de Copacabana ?

La voix était à peine essoufflée. Justin n'eut pas le temps de protester. L'*edifício* San Marco était déjà derrière eux. Les cuisses de Justin le brûlaient, sa tête dodelinait. À cent mètres du but, ses jambes refusèrent d'accélérer. La silhouette de son père fila seule vers l'entrée du fort. François D. l'atteignit et s'appuya des deux mains contre la grille pour récupérer. Justin s'effondra à ses pieds avec trois secondes de retard, dos à la clôture. Ils cherchèrent leur souffle, puis Justin se releva pour chasser une crampe au mollet. François D. posa la main sur son épaule, surpris de la trouver si haute.

— Pas mal pour ton âge.

Justin était furieux contre lui-même. Son père l'avait berné, il avait feint l'épuisement, puis déplacé la ligne d'arrivée. Il avait triché et gagné.

François D. lui adressa un sourire où la *malícia* qui remportait souvent pour lui leurs affrontements de *capoeira* se mêlait d'inquiétude. Même battu, Justin espéra avoir asséné à François D. un coup de vieux.

Ils étirèrent leurs muscles, puis reprirent à pas lents la direction de l'*edifício* San Marco.

— J'ai une mission de confiance pour toi.

Justin attendit la suite, sur ses gardes.

— Le ministre du Patrimoine viendra au Brésil avec sa fille. Ce sont les vacances scolaires au Canada. Elle a quinze ans et s'appelle Natacha. Elle ne suivra pas la délégation à Brasília, Manaus et São Paulo, mais restera à Rio.

— Pourquoi?

— Tu lui poseras la question. Son père m'a demandé si tu pourrais t'occuper d'elle. J'ai dit oui, bien sûr.

Justin fronça les sourcils. Le premier ministre canadien entamait dans deux jours une visite d'État au Brésil. Cinq ministres du gouvernement l'accompagnaient. La délégation arrivait à Rio mardi matin et y reviendrait en conclusion de son séjour une semaine plus tard.

Justin soupira:

— Bien sûr, sans me demander mon avis.

— Comme si tu pouvais être assez stupide pour dire non.

— Ce ne sont pas les vacances, ici.

— Mardi, Natacha suivra le programme officiel de la visite, donc elle n'aura pas besoin de toi. Tu n'as pas cours le mercredi, et le Vendredi saint est férié. Trois jours de cours manqués, jeudi, lundi et mardi prochains, ne mettront pas en péril ton éducation.

— Je ne suis pas guide touristique.

— Je ne suis pas agent de voyages. Je prépare pourtant celui de la délégation depuis deux mois.

— Il faut que je m'occupe de la visite dans la *favela*.

— Qui a convaincu le bureau du premier ministre de la mettre au programme?

— Toi.

— Alors sois reconnaissant et occupe-toi de la fille du ministre.

— Je te suis reconnaissant et donc je veux que la visite se passe bien. Et pour bien l'organiser, j'ai besoin de temps.

— Le meilleur moyen pour que tout se passe bien, c'est d'être sympathique à la fille du ministre.

— Pourquoi?

— Parce que tu espères une aide fédérale en faveur de Cariocanuck.

— C'est toi qui en as parlé. Tu es le trésorier de l'association. Moi, officiellement, je ne suis rien.

— Dans ce cas, il faut te retirer l'organisation de la visite de la *favela*.

— À plus forte raison la garde d'une invitée de marque.

Le sourire de Justin agaça François D. :

— Ne fais pas l'imbécile, mais d'une pierre deux coups. Sois sympathique à la fille du ministre, l'aide suivra.

— Tu n'accorderais pas un visa à quelqu'un juste parce qu'il m'est sympathique.

— Ça ne gâterait rien.

— Le ministre du Patrimoine n'est pas en mesure de nous accorder une aide.

— Il peut en toucher un mot à ses collègues. Et le dossier des archives de Joaquim dépend de lui.

Justin réfléchit. Il avait marqué trop de buts contre son camp pour le plaisir de contredire François D.

— Elle ressemble à quoi, la fille du ministre ?

— Enfin une question intelligente, Justin.

• • •

Justin rentra du lycée Molière avec João. Ils descendirent de l'autobus à l'arrêt habituel de l'*avenida* Nossa Senhora de Copacabana, puis Justin grimpa seul vers la *favela do Pavão*.

La mission imposée par François D. contrariait Justin. Averti deux semaines plus tôt, il aurait eu le temps de se renseigner sur la fille du ministre et de confectionner un programme carioca à ses goûts. Justin se fiait peu aux atomes crochus et aux affinités naturelles, il avait aussi horreur d'improviser et de changer ses plans.

Justin travaillait sur la visite de la délégation canadienne depuis son annonce officielle. Il avait enquêté sur tous ses membres, et d'abord sur le ministre du Patrimoine. Luc Desbiens était un ami d'université du premier ministre, Russell Sharpe. L'un arrivait du Nouveau-Brunswisk, l'autre de Windsor : l'un avait étudié le cinéma, l'autre le droit ; ils avaient milité dans le même syndicat étudiant. Luc Desbiens avait fait carrière à l'Office national du film, comme réalisateur et producteur, puis directeur général et enfin président.

Russell Sharpe lui avait confié la réalisation de toutes ses vidéos de campagne. Luc Desbiens avait acquis une réputation de génie de l'image politique. Il avait créé des publicités au style unique, presque sans paroles, fondées sur la puissance du montage. Pour beaucoup, elles étaient la vraie cause du succès de son ami d'université. Arrivé à la tête de son parti, Russell Sharpe l'avait convaincu de le rejoindre en politique. Aux dernières élections fédérales, Luc Desbiens avait été élu représentant du comté d'Acadie-Bathurst au Nouveau-Brunswick. Le nouveau premier ministre lui avait offert le portefeuille du patrimoine canadien dans son gouvernement, il avait accepté. Luc Desbiens était marié. Son épouse, Olga Turkovska, d'origine bélarusse, était une violoniste de renom international. La résidence principale du couple était à Ottawa. C'était là que vivait et étudiait leur fille unique, Natacha. Jusqu'à la veille, Justin n'avait pas jugé utile d'en apprendre plus à son sujet.

Justin connaissait les préférences culinaires de Luc Desbiens – tartare de saumon et risotto aux champignons –, sa faiblesse pour le Châteauneuf-du-pape, sa passion envers la pêche à la mouche, son admiration pour le *cinema novo* brésilien et son goût des cultures étrangères. Les informateurs de Justin n'avaient pas inclus sa mère : le changement de gouvernement lui avait coûté son poste au ministère de la Justice pour la renvoyer à la pratique du droit en cabinet.

Justin avait visionné en ligne le film de Luc Desbiens sur le chamanisme des Indiens des plaines, mais aurait à peine une poignée de minutes pour lui présenter les archives de Joaquim sur le *candomblé* et le convaincre que l'ONF devait s'y intéresser. Il reviendrait à François D., qui suivrait la délégation tout au long de son périple brésilien, de plaider l'essentiel de sa cause pour lui.

À l'inverse, Justin passerait une semaine avec sa fille Natacha. Il la connaîtrait sans doute bien à son départ du Brésil, mais trop tard : son ignorance aurait entre-temps commis assez de gaffes pour s'aliéner sa coopération.

Justin atteignit la maison Cariocanuck. Il déverrouilla la porte et entra. Personne n'était là. Justin monta au premier étage et alluma l'ordinateur. La veille au soir, il avait adressé un courriel à tous ses contacts canadiens susceptibles de connaître Natacha Desbiens. Une seule réponse était arrivée dans sa messagerie. Comme souvent, elle provenait de son grand-père, Michel Deslauriers : « Natacha Desbiens a pour parrain le premier ministre. D'après ma source, il mange dans sa main. »

Justin reprit ses propres recherches sur Internet. Natacha Desbiens semblait absente de tous les réseaux sociaux en ligne. C'était une source d'information en moins, mais cela la rendait sympathique. Il ne trouva aucune photo d'elle. Même sur les sites de ministre et député, ainsi que sur la page Facebook de son père, elle n'apparaissait pas.

Justin entendit la porte d'entrée s'ouvrir et se refermer, puis des pas dans l'escalier. Xuxa montra face à lui sa tête des mauvais jours.

— La libération anticipée d'Evaldo a été confirmée. Il sort demain.

— Ce n'est pas une bonne nouvelle?

Xuxa accentua sa moue. Le demi-frère de Márcia avait été condamné à cinq ans de prison pour tentative de meurtre. Il n'avait pas seize ans à son entrée au pénitencier.

— Ma mère fait semblant de se réjouir. Lucia aussi.

— Pas toi?

— Nous étions plus tranquilles sans lui.

— Il a quel âge maintenant?

— Juste dix-huit ans.

— Il pourra travailler et vous apporter de l'argent.

— S'il en gagne, ce sera en reprenant ses trafics et tout recommencera.

Xuxa n'avait ni oublié ni pardonné: son enlèvement à cause des dettes d'Evaldo, ses cours à Justin et François D. pour les rembourser, puis permettre à la compagne d'Evaldo, Lucia, et leur fille Alicia de survivre.

— Ce que Lucia gagne ici finira dans ses poches et elles sont trouées.

Le développement de Cariocanuck avait justifié deux embauches à temps partiel pour l'accueil des visiteurs, la mise à jour des offres d'emploi et le secrétariat général de l'association. Xuxa et Márcia avaient proposé Lucia pour un des deux postes. Justin ne s'y était pas opposé, même si beaucoup de candidats le méritaient davantage : Lucia maîtrisait mal la bureautique, mais pas du tout le reste de l'informatique, et s'absentait sans crier gare pour s'occuper d'Alicia. Justin gardait un goût amer de sa passivité. Le choix de Lucia rappelait trop les pratiques douteuses de l'association des résidants.

— Demain midi, Lucia l'attendra à la sortie du pénitencier, avec Alicia et des fleurs plein les bras. Le soir, nous fêterons le retour de l'enfant prodigue. Et dès le lendemain matin, il faudra être aux petits soins pour l'empêcher de rechuter dans ses bêtises.

— Il est majeur.

— Pour se créer des ennuis, depuis toujours ; mais pour le reste, moins que sa fille. Je gaspillerai mon temps à le surveiller au lieu de préparer la visite dans la *favela*.

Justin soupira :

— J'ai le même problème.

Xuxa leva sur lui un regard perplexe. Il expliqua la mission dont il avait hérité et l'importance de bien s'en acquitter. Xuxa sourit avec ironie :

— Le sort de l'association dépend de ton charme ?

Justin acquiesça.

— Ce n'est pas rassurant, dit-elle.

— Conseille-moi.

— Réfléchis avant de parler et ne la prends pas pour une imbécile.

Ils se mirent au travail. L'organisation de la visite dans la *favela* était un casse-tête. Menée au pas de course, elle présenterait à la délégation canadienne le maximum en un minimum de temps. Il fallait éviter le misérabilisme, mais exposer la dureté des conditions de vie, mettre en vedette les premières réalisations de Cariocanuck, mais en exergue son manque de moyens afin d'en obtenir davantage.

Il importait aussi de ménager l'association des résidants, pour que perdure la cohabitation à fleurets mouchetés entre elle et Cariocanuck. Ou du moins en donner l'illusion, Cariocanuck n'étant pas de taille pour un conflit ouvert. Le programme officiel prévoyait un arrêt de la délégation canadienne au quartier général des parrains du *Pavão*. Pour priver leurs adversaires de cette reconnaissance, Xuxa et Justin comptaient ne pas le respecter et rejeter la responsabilité du changement sur les visiteurs : le premier ministre du Canada n'était pas à leurs ordres.

Justin se tourna vers Xuxa :

— Si nous sommes occupés ailleurs, qui se chargera de la coordination avec les autorités ?

La visite d'une délégation étrangère impliquait à la fois la ville et l'État de Rio de Janeiro, plus l'État fédéral. Xuxa sourit à l'idée des cimetières pleins de gens indispensables :

— Cariocanuck ne manque pas de membres débrouillards, ils s'en tireront très bien sans nous.

— À condition d'être encadrés.

— Fernanda Murgell a passé toute sa vie dans l'administration de l'État. Elle gérera beaucoup mieux que nous les relations avec les officiels.

— Si elle a du temps.

— Elle en aura. Elle se trouve plus utile à l'association que dans son travail.

Justin mentionna le dernier problème. Il était substantiel :

— Qui assurera le service d'ordre ?

Toute présence policière dans la *favela* était risque d'émeute. Les autorités ne pouvaient en retour laisser un premier ministre étranger s'y aventurer sans protection. Xuxa roula des yeux, mais annonça des progrès :

— Aux dernières nouvelles, la police accepterait de nous abandonner la responsabilité du service d'ordre si la délégation canadienne le lui demande.

— *Mestre* Luisinho négocie avec eux ?

Xuxa fit signe que oui. Depuis que Stephen, le chef du chantier de réfection des égouts, avait transféré la protection des travaux de l'association des résidants à l'académie de *capoeira* Arco-Íris, *Mestre* Luisinho était devenu un appui majeur de Cariocanuck. Les parrains du *Pavão* n'avaient pas encore mené de représailles contre lui ou ses élèves, et Justin avait découvert que le maître en était un aussi comme organisateur et meneur d'hommes. Il sourit à une sécurité partagée entre des capoeiristes et des agents de la police montée canadienne.

Ils travaillèrent jusqu'au mal de crâne, puis Justin redescendit vers Copacabana. Face à l'entrée de la *favela*, il reconnut Fogo avec le dégoût et la compassion mêlés que lui inspirait le *rapaz*. Justin lui tourna le dos et se dirigea vers Nossa Senhora de Copacabana. Fogo changea de trottoir et se dressa sur son passage :

— Bota veut te voir.

— Tu me guettais ?

Fogo hocha sa grosse tête avec fierté :

— Je connais tes habitudes.

Fogo était trop imprévisible pour refuser son invitation. Justin réprima une grimace et le suivit. Le *rapaz* triturait des doigts un iPod de contrefaçon et fredonnait une ballade dont les échos sourdaient des écouteurs dans ses oreilles. Il en tendit un à Justin.

— Tu veux écouter ?

Justin fit non de la tête. Ils atteignirent l'*avenida* Atlântica. Bota était assis sur un banc, face à la plage. Il feuilletait un beau livre de voile ouvert sur ses genoux que Justin avait vu sur une étagère dans la chambre de João. Bota referma le volume et se leva avec un grand sourire. Son *abraço* prit Justin au dépourvu. Bota aurait pu passer, avec son chandail crème torsadé, son pantalon capri et ses chaussures de bateau, pour un membre de la jeunesse dorée carioca. Il fit signe à Justin de s'asseoir à côté de lui. Fogo alla écouter sa musique sur le sable.

Justin savait que João tentait de sortir Bota du gang de la *favela* de São Conrado, mais ne pouvait décider si Bota voulait pour de bon rejoindre le droit chemin ou cultivait l'amitié de João pour lui servir de bouée de sauvetage quand ses activités criminelles lui éclateraient à la figure.

— Tu es au courant qu'Evaldo, le demi-frère de Márcia, va être libéré ?

Justin hocha la tête :

— Xuxa me l'a appris.

— Evaldo devra se méfier. L'Indien veut se venger.

— C'est lui qui te l'a dit ?

Bota sourit :

— L'Indien ne me fait pas de confidences, mais tout le monde est au courant à São Conrado. Tant qu'Evaldo restera dans la *favela do Pavão*, il sera en sécurité. S'il en sort, ce sera à ses risques et périls.

— Pourquoi me racontes-tu ça ?

— J'essaye d'éviter des problèmes à tout le monde.

— Je peux dire d'où je tiens l'information ?

Bota secoua la tête :

— Bien sûr que non.

Justin l'observa de près :

— Tu essayes d'éviter des problèmes, mais tu ne veux pas le faire savoir ?

— J'essaye d'éviter des problèmes, pas de m'en créer.

. . .

Edson compta sa monnaie, puis se tourna vers Justin :

— Quand débute notre mission ?

— Demain. La délégation est arrivée ce matin, mais la fille du ministre suit aujourd'hui le programme officiel.

Ils attendaient leurs commandes devant le comptoir de la *lanchonete* arabe, dans la galerie marchande du *largo do Machado*. João paya la sienne et les rejoignit :

— Ton père a parlé au proviseur ?

Justin fit signe que oui :

— Je suis excusé. Vous aussi. Enfin si vous le souhaitez.

Edson arbora son sourire le plus baveux :

— L'école buissonnière, ce n'est vraiment pas ma tasse de thé, mais, pour aider un ami, je me ferai violence.

João opina :

— Moi aussi. Je suis bête et discipliné. Si on me dit de ne pas aller aux cours, je ne vais pas aux cours.

Leurs commandes arrivèrent dans trois sacs en papier. Ils sortirent au soleil de la place, puis gagnèrent l'ombre de leur arbre fétiche. João et Edson s'assirent contre son tronc et tirèrent de leurs sacs chacun une *esfiha*. Ils y mordirent de conserve. Justin sortit d'une poche de son bermuda deux feuilles gribouillées pendant les cours.

— Des idées de visite pour la fille du ministre. J'aimerais votre avis.

João saisit les feuilles de sa main libre et les étala entre lui et Edson. C'était un jour sans vent. Ils mangèrent en les parcourant. Edson termina son *esfiha* et sa lecture, il leva les yeux vers Justin :

— La fille du ministre a soixante-quinze ans ?

— Pourquoi ?

— Parce qu'à cet âge-là, ton programme m'intéresserait peut-être. Pourquoi veux-tu la traîner au Musée historique national ?

João avala sa dernière bouchée :

— Il y a une très belle collection de carrosses. Et aussi de pièces anciennes.

— Ça fait rêver, *monginho*.

Edson pointa une ligne sur la première page :

— Même chose pour le concert de musique classique.

— Sa mère est violoniste.

— Donc, sauf à être débile au point de partager les goûts de ses parents, elle déteste le violon.

— Tu as mieux à proposer ?

— Plage, plage et plage.

— Si elle n'aime pas ?

— Tu lui demandes pourquoi elle est venue à Rio.

Justin s'assit à côté d'Edson et sortit de son sac un jus de *maracujá*. Edson s'inquiéta du nerf de la guerre :

— Le consulat nous alloue un budget pour distraire la fille du ministre ?

Justin secoua la tête :

— Elle ne fait pas partie de la délégation. C'est une visite privée.

— Pourtant, nous ne la promenons pas pour ses beaux yeux, mais dans l'espoir de subventions à Cariocanuck ?

— Ça ne change rien.

Edson fit la moue aux détours tortueux de l'éthique canadienne. Justin commença à manger. Son téléphone vibra. C'était François D. :

— Changement de programme. Tu prends tes fonctions tout de suite. Où es-tu ?

— Au *largo do Machado*, avec João et Edson.

— C'est sur notre route. J'y serai dans dix minutes.

Justin avertit ses amis. Edson versa une larme sur les cours de l'après-midi dans leur classe de troisième, l'équivalent du troisième secondaire du premier cycle québécois.

Des sirènes s'immiscèrent dans le brouhaha de la place. Quatre motards émergèrent du trafic, suivis d'un convoi de limousines sombres. Une Lexus grise fermait la marche. Elle se gara le long du trottoir. Le cortège continua sa route. François D. sortit de la voiture et chercha Justin des yeux. Ils se dirigèrent l'un vers l'autre.

— Tu es prêt?

Justin haussa les épaules.

— Parfait. C'est bien qu'Edson et João soient là. L'expérience sera excellente pour vous trois.

Justin étudiait François D., il le trouvait nerveux.

— Pourquoi le changement de programme?

François D. esquissa un sourire laborieux:

— Natacha s'est un peu querellée avec son père. Tu sais ce que c'est...

François D. retourna à sa voiture. Il en ramena une jeune fille vêtue d'un chemisier vert pomme et d'une jupe jaune vif. Il dépêcha les présentations: «Natacha... Justin. Amusez-vous bien», puis repartit au pas de course vers la Lexus. Aurelio démarra en quatrième vitesse.

Natacha Desbiens avait des cheveux très noirs et courts, coupés à la garçonne, un visage pâle et des yeux clairs que Justin ne remarqua pas. Dans ses élégantes chaussures à talons, elle était de sa taille.

Edson et João s'étaient levés et approchés. Justin les présenta. Ils échangèrent des banalités météorologiques et des sourires. Natacha retira sa gourmette et ses boucles d'oreilles et les confia à Justin:

— Je crois que ça vaut mieux.

Il opina et les plaça dans son sac à dos, puis se demanda quoi faire. Natacha vint à son aide:

— J'ai faim.

Justin proposa l'*esfiha* dont il n'avait plus envie.

Natacha secoua une tête dégoûtée. Les vendeurs ambulants de la place n'eurent pas plus de succès. L'Adega Portugalia non plus.

Justin prit son ton le plus conciliant :

— Qu'est-ce qui te plairait ?

— Je le saurai quand je le verrai.

Justin hocha la tête comme si cela allait de soi.

Ils remontèrent la *rua do* Catete, Justin et Natacha devant, Edson et João deux pas derrière comme des gardes du corps. Rien dans ses *lanchonetes* n'inspira Natacha. Justin lui indiqua le palais qui donnait son nom à la rue :

— C'est l'ancienne résidence du président de la République. Tu veux la visiter ?

Justin décida que son silence valait approbation. Ils entrèrent dans le palais rose du XIXe siècle, transformé en musée de la république après le transfert de la capitale fédérale à Brasília, glissèrent dans un silence lugubre sur les parquets cirés, à travers des salles à la décoration d'ancien monde, jusqu'à la chambre où Getúlio Vargas s'était tiré en 1954 une balle dans le cœur. Le revolver du suicide était exposé, comme le pyjama troué au niveau de la poitrine et le fauteuil du président dictateur.

Le morbide des lieux dérida Natacha :

— Ça pourrait inspirer mon père et mon parrain pour leur prochaine défaite électorale.

João proposa de raconter la vie et l'œuvre du père de l'*Estado Novo*, elle refusa du doigt :

— Je connais déjà trop d'hommes politiques.

Le jardin du palais était superbe, il fut expédié en trois minutes. Le café eut plus de chance. Natacha s'y amouracha d'une madeleine grasse sous un emballage plastique. Justin grimaça à son tour :

— C'est bon ?

— Ça bouche un trou.

Ils ressortirent sur le trottoir. Justin regarda sa montre. Il était à peine quinze heures. Il héla un taxi, qui les laissa au bas de l'*avenida* Rio Branco. Justin fit la réclame du théâtre municipal, de la bibliothèque nationale et du Musée des beaux-arts, sans toutefois suggérer leur visite. Son enthousiasme resta sans écho.

L'après-midi durant, ils sillonnèrent le centre-ville. Justin aimait ces quartiers grouillant d'animation mais vides des hordes touristiques de la *Zona Sul*, et en plein renouveau. Il ne demandait qu'à révéler et partager leurs charmes, mais ses efforts se fracassaient contre un mur d'indifférence. Ses tentatives de conversation se heurtaient aux réponses monosyllabiques de Natacha. Justin ne s'en surprenait plus, mais s'en offusquait sans cesse davantage.

Edson et João échangèrent un regard. João tapa sur l'épaule de Justin :

— Tu ne veux pas t'arrêter ?

— Où ?

João désigna les tables d'un café. Natacha émit une condition :

— S'ils ont du thé glacé à la pêche.

Le café n'en avait pas, ses voisins non plus.

Edson prit la relève :

— Pourquoi ne pas aller à Botafogo, sur la terrasse du Praia Shopping ?

Justin s'imagina, pour son premier jour à Rome ou Paris, emmené dans une galerie marchande. Il ricana :

— Il y a du thé glacé à la pêche ?

— Ce sera l'occasion de le découvrir, Justinho.

Le plan approuvé par défaut, ils reprirent un taxi. Le chauffeur parla pour cinq. Personne ne traduisit à Natacha sa philosophie de la vie.

La terrasse du Praia Shopping faisait face au Pain de Sucre. Natacha gratifia le panorama du même regard éteint qu'un fond d'écran informatique. Justin se retourna vers l'envers du décor : d'énormes nuages noirs dévoraient jusqu'à la base du Corcovado ; selon une légende, le Christ Rédempteur restait voilé toute la semaine sainte pour ressusciter le dimanche de Pâques.

Ils choisirent une table proche de la balustrade. Le serveur confirma la présence de thé glacé à la pêche. Natacha commanda un Coca-Cola et un chocolat liégeois. À leur arrivée, elle sourit presque. Le ciel, lui, n'était pas à l'embellie. Justin le regarda avec résignation.

— Abritons-nous avant la pluie.

Il gagna le bâtiment avec João. Natacha continua à manger sa glace. Edson l'attendit.

— Tu ne viens pas ?

— Il ne pleut pas.

— Quand il pleuvra, il sera trop tard.

— Je vous retrouve dès que j'ai fini ma glace.

— Comme tu voudras.

Le déluge s'abattit alors qu'Edson rejoignait Justin et João au sec. Natacha surgit, trente secondes plus tard, trempée. Justin sourit en silence.

L'averse cessa comme elle avait commencé. Ils ressortirent sur la terrasse. Un serveur essuya leurs chaises. Il restait du chocolat liégeois de Natacha une flaque brunâtre. Le soleil jaillit et le Pain de Sucre s'illumina. À peine rassise, Natacha frissonna :

— J'ai froid.

Justin paya l'addition, puis ils se serrèrent à l'arrière d'un autre taxi. Natacha transmit à Justin sa chair de poule. Ils tuèrent le temps dans les embouteillages et atteignirent Copacabana alors que le soleil se couchait. Justin et Natacha descendirent devant l'*edifício* San Marco. Edson et João continuèrent dans le taxi. Justin les vit disparaître sans regret et s'en étonna.

Márcia était partie tôt pour le retour de son demi-frère, la *cobertura* était vide. Natacha sortit sur la terrasse. Pour la première fois, elle s'enthousiasma :

— Écœurant, Justin. À donner une jaunisse à mon parrain. Sa résidence de premier ministre fuit de partout.

Justin montra à Natacha sa chambre et sa salle de bain. Aurelio avait monté sa valise. Elle déballa ses affaires. Justin trouva sur son lit un encouragement laconique de son père : « À mardi. Bon courage », plus une généreuse avance financière.

Justin regarda sa montre. La réception à la résidence du gouverneur de l'État de Rio débutait. À son issue, François D. décollerait pour São Paulo avec la délégation canadienne. Aurelio suivrait, comme homme à tout faire.

Justin prit une douche brûlante. À son retour sur la terrasse, Natacha était allongée dans un hamac. Une robe de coton écru dévoilait ses épaules laiteuses. Elle leva les yeux. Leur clarté translucide frappa Justin.

— Pourquoi n'avons-nous pas passé l'après-midi ici ?

L'interphone sonna. Justin lui répondit plutôt qu'à Natacha. Pedrinho, le portier, demanda si Xuxa pouvait monter. Justin attendit l'ascenseur sur le palier.

— Tu as oublié que mon père n'était pas là ?

Xuxa donnait à François D. un cours de portugais tous les mardis soir. Elle secoua la tête.

— Non, mais il m'a dit dans un message que tu aurais peut-être besoin de moi. Comment ça se passe ?

Xuxa avait conseillé à Justin de réfléchir avant de parler, il la précéda en silence sur la terrasse et fit les présentations en anglais. Natacha jaillit du hamac avec un sourire radieux :

— Xuxa, je suis tellement heureuse de te rencontrer.

Xuxa se raidit sous la chaleur de l'accueil. Elle

adressa à Justin un regard perplexe. Il haussa les épaules en guise de réponse, puis offrit ses services de domestique :

— Quelque chose à boire ?

Xuxa commanda « n'importe quoi », Natacha agita une main indifférente :

— Ça m'est égal.

À son retour avec des bouteilles de *guaraná*, Xuxa et Natacha discutaient en anglais comme deux vieilles amies. Justin s'éclipsa à nouveau, de crainte de troubler cette entente cordiale, et retourna dans la cuisine. Il inspecta le réfrigérateur, puis ouvrit le tiroir où il rangeait ses fiches de recettes et opta pour la *moqueca de peixe*.

Cuisiner relaxait Justin à la manière de la course à pied. Il noua le tablier de Márcia autour de sa taille et se mit au travail. Son esprit s'éclaircit. L'après-midi avait été une catastrophe, pourtant il ne le regrettait pas. Il lui semblait pouvoir attendre le meilleur comme le pire des prochains jours. Xuxa entra sans frapper au milieu de ses préparations. Elle sourit devant son tablier.

— Elle est charmante, ta compatriote.

Justin arrosa son plat d'huile de *dendê*.

— Tu veux prendre son séjour en main ?

— Si tu t'occupes d'Evaldo.

Justin fit semblant d'hésiter, puis secoua la tête.

— De quoi avez-vous parlé ?

Xuxa sourit un peu plus :

— De toi.

— Vous avez épuisé le sujet?

— Il n'en reste rien.

— Tu dînes ici?

Xuxa se rembrunit:

— Je ne peux pas.

Justin acquiesça. La soirée de Xuxa ressemblerait sans doute à son après-midi à lui, pleine de sentiments compliqués à démêler.

Xuxa s'en alla. Justin replongea dans sa recette, soulagé. Il avait redouté de la rencontre entre Xuxa et Natacha les mêmes étincelles que, le premier jour, entre Xuxa et lui.

Justin s'assurait qu'il avait respecté à la lettre toutes les instructions de la recette, quand on frappa à la porte de la cuisine. Il se débarrassa de son tablier.

— Entre.

Natacha posa les bouteilles vides de *guaraná* à côté de l'évier et désigna le plat prêt à cuire.

— C'est quoi?

— Un mijoté de poisson.

— Je n'ai pas faim. Je vais me coucher, j'ai mal dormi dans l'avion.

Elle bâilla pour prouver qu'elle ne mentait pas. Justin ressentit une pointe de déception.

— Merci pour la promenade.

Le regard de Justin lui signifia de ne pas surestimer sa bêtise. Les joues de Natacha se colorèrent un peu.

— Bonne nuit.

— Dors bien.

Justin régla le temps de cuisson, puis mit le plat au four. Libéré plus tôt que prévu de ses obligations d'hôte, il se sentit désœuvré. Il regagna sa chambre et alluma son ordinateur. Il répondit aux derniers messages concernant la visite de la *favela* le mercredi suivant, puis s'invita chez Russell Sharpe. Sur ses photographies en ligne, la résidence du premier ministre canadien semblait en effet avoir connu des jours meilleurs. Il n'aurait cependant pas déplu à Justin d'y loger.

Avant de se coucher, il sortit contempler le ciel de la terrasse. Natacha était assise dans un fauteuil, près de la balustrade, et fixait l'obscurité. Justin avança de quelques pas. Elle portait des écouteurs. Un murmure de violon vint mourir dans ses oreilles.

Chapitre 2

Justin se réveilla avec un étrange sentiment d'anticipation. Il s'interrogea sur sa cause et se rappela Natacha. Il avait hâte de la voir. Son impatience était sans rapport avec les fonctions de son père.

Il la trouva sur la terrasse. Elle prenait son *café da manhã*. Un débardeur noir rehaussait la blancheur de sa peau. Il reçut un sourire aussi chaleureux que Xuxa la veille. Elle finit une galette de tapioca, puis déroba sous son nez le dernier *pão de queijo* de la corbeille :

— Désolée. J'ai faim.

Il sourit que ce n'était pas grave, et le pensa presque. Márcia apporta des *cavacas* à la cannelle et un pichet de jus de *maracujá*. Justin lui trouva les traits tirés et ne demanda pas de nouvelles de sa soirée.

La journée débuta sous d'assez bons auspices pour que Justin appelle João :

— Je n'ai pas besoin de toi et Edson pour l'instant, mais restez en alerte et songez à une idée pour demain.

João ne posa pas de questions :

— Je préviens Edson.

Justin et Natacha prirent un taxi pour le quartier de Cosme Velho, puis le train à crémaillère vers le sommet du Corcovado. La voie grimpait à travers la forêt tropicale, le train lambinait à plaisir. Justin s'interdit les boniments de guide touristique.

— Tu as accompagné beaucoup de voyages officiels ?

— C'est le premier.

— Pourquoi le Brésil ?

— J'étais en vacances.

— Pourquoi juste Rio, et pas les autres villes ?

— Je ne suis pas arrivée au bout de la première journée de visites officielles. Alors, imagine une semaine.

Voilé la veille, le Christ Rédempteur avait déjà ressuscité, les bras ouverts sur l'azur. À ses pieds, des cohortes de touristes luttaient pour une place contre la balustrade.

Justin et Natacha se forcèrent un passage parmi les shorts et les caméscopes. Leurs yeux survolèrent Ipanema, Copacabana, le Pain de Sucre. Ils contemplaient la baie de Guanabara, quand Natacha rebroussa soudain chemin. Justin la suivit interloqué sur la terrasse inférieure. La cohue y était moins sauvage. Elle tourna vers lui un visage excédé :

— Pourquoi m'as-tu amenée ici ?

— Dis que tu as rencontré beaucoup de vues aussi belles et je ne te croirai pas.

— Je connaissais cette vue par cœur avant de venir, comme les trois mille crétins qui me la gâchaient.

— Tu as désormais la preuve qu'elle existe pour de bon et vaut cent fois ses cartes postales.

— Ses cartes postales ne te hurlent pas aux oreilles en allemand et ne te piétinent pas pour une photo.

— Si tu préfères voyager sur cartes postales, pourquoi es-tu venue à Rio ?

— Pour que tu me montres autre chose que ça.

La main de Natacha balaya les groupes en rang d'oignons, le stationnement comble, les kiosques à souvenirs, les amas de détritus.

— Hier, il n'y avait pas tout ça.

— Hier, j'étais de mauvaise humeur à cause de mon père.

Natacha s'adoucit :

— Sinon, c'était une belle promenade. Vraiment.

Justin faillit la croire.

— Où voudrais-tu aller ?

— C'est toi qui habites ici. Distrais-moi, étonne-moi.

Des ailes delta traçaient des spirales au-dessus de la forêt de Tijuca. Natacha les suivit des yeux.

— De là-haut, personne ne nous volerait le paysage.

Son regard se reposa sur Justin:

— Emmène-moi à un *baile* funk dans une *favela*.

— Tu connais les risques?

— Je crois.

— Ce serait une grosse bêtise. Même la plupart des locaux les évitent.

— Tu n'aimes pas les bêtises?

— Pas celle-là.

— Alors, une cérémonie de *candomblé*, puisque tu t'y intéresses assez pour vouloir sauver des archives.

Justin fronça les sourcils:

— Qui t'en a parlé?

— Je t'informe que l'association Cariocanuck possède un site Internet.

— C'est là que tu as découvert Xuxa?

— Bravo, Justin.

Pour le retour, ils s'emparèrent du premier rang dans le petit train. Aucun bob ou chemise hawaïenne ne parasita les panoramas sur la ville. À l'arrivée, la file d'attente pour la montée était plus longue qu'un hiver canadien.

— Quelle est la suite du programme?

Justin sourit:

— L'un des endroits les plus apaisants au monde.

— J'ai besoin de me calmer?

La visite au jardin botanique dépassa les espoirs de Justin. Les allées humides exhalaient une odeur d'humus. Les parfums des plantes tropicales tournaient la tête, les feuillages tamisaient le soleil. La sérénité contamina Natacha. Ils se glissèrent dans un silence douillet.

À la sortie, cette harmonie se brisa net sur le vacarme du trafic et les premiers mots de Natacha.

— J'ai été une visiteuse modèle, maintenant je prends une demi-journée de liberté.

Justin se sentit cocu :

— J'ai des billets pour un concert classique au théâtre municipal à vingt heures.

— Je ne sais pas si j'aurai envie de musique classique ce soir.

— Tu en avais envie hier, sur la terrasse.

— Tu m'espionnais ?

— J'étais venu voir le ciel.

— C'était hier, sur la terrasse. Ce soir, dans un théâtre, je ne sais pas. Avoir toujours les mêmes envies, ce serait pathétique. J'espère que tu n'es pas comme ça.

Justin regardait Natacha et songeait à un oignon. Elle donnait parfois envie de pleurer. De pelure en pelure, l'oignon se réduisait à rien. Croyant saisir Natacha, Justin attrapait du vent.

— À quelle heure connaîtras-tu tes envies pour ce soir ?

— Tu seras le premier informé.

Justin inscrivit son numéro de cellulaire sur le billet d'entrée au jardin.

— Ton téléphone fonctionne ici ?

Natacha secoua la tête.

— Les kiosques à journaux vendent des cartes d'appel pour les *orelhões*, c'est le surnom des téléphones publics.

Natacha disparut dans un taxi. Justin rentra à la *cobertura*, triste et furieux.

Ses heures horribles dans la chambre noire de *Mestre* Cobra avaient bouleversé sa vision du *candomblé*. Il avait pris ses distances de peur d'être à nouveau brûlé et avait refusé les invitations d'Aurelio aux cérémonies de son *terreiro*. Même ses conversations avec Joaquim lui procuraient moins de plaisir. Il se rappelait à peine le verdict du *babalaô* et avait cessé de se demander s'il était vraiment né sous le signe d'Exu.

Justin composa le numéro de cellulaire d'Aurelio. Le chauffeur répondit de l'assemblée nationale à Brasília : le premier ministre canadien prononçait un discours devant les députés.

— J'aimerais savoir si ton *terreiro* organise des cérémonies les prochains jours.

— Il suffit que je tourne le dos pour que tu reviennes au *candomblé*, Justin ?

Justin perçut, derrière l'ironie, la déception d'Aurelio.

— C'est pour la fille du ministre.

— Les *terreiros* traditionnels n'organisent jamais de cérémonies pendant la semaine sainte. Tu as peut-être une chance dans les centres de culte qui mêlent *candomblé* et *umbanda*.

Justin appela Joaquim et obtint la même réponse :

— Ta meilleure chance, ce sont les *terreiros* de la nouvelle vague. Ton professeur, Sophie, les connaît mieux que moi. Tout se passe bien avec ta visiteuse ?

— C'est pour elle que je cherche une cérémonie.

Joaquim savait l'importance de la satisfaire :

— Je vais me renseigner, mais c'est un milieu jeune où j'ai peu de contacts.

Justin préféra adresser un courriel à Sophie Dauby, plutôt que lui téléphoner : la veille, il avait manqué son cours de géographie pour s'occuper de Natacha.

Son téléphone sonna. Le numéro sur l'écran ne lui dit rien.

— Justin ? C'est Natacha. J'aimerais aller à Búzios pour la fin de semaine. Tu es d'accord ?

Justin sourit à son appareil :

— Tu sais ce dont tu auras envie dans trois jours ?

— Je te jure de ne pas changer d'avis. Et je serai de bonne humeur. Ce serait possible ?

La demande était inespérée, Justin joua de sa position de force :

— Je vais voir. Tu as découvert tes envies pour ce soir ?

— Je veux aller au concert avec toi. Si je ne te rappelle pas, je te retrouve sur place.

— Tu sais où c'est ?

— Nous y sommes passés hier et tu m'as raconté toute l'histoire du théâtre.

Justin et son père avaient séjourné deux fois à

Búzios, dans une maison louée pour eux par l'assistante de François D. Il l'appela au consulat.

— La même, si possible, sinon sur la même plage, de samedi à mardi.

— Je ferai de mon mieux, mais c'est Pâques.

Justin afficha à nouveau le numéro d'où l'avait appelé Natacha. Il correspondait à un appareil cellulaire. Justin le composa sur le téléphone fixe de l'appartement. Une voix masculine le pria en portugais de laisser un message. Justin raccrocha et tenta de museler son imagination. Il n'y parvint pas. Contre la tentation d'espionner Natacha, il effaça le numéro.

Justin arriva au théâtre municipal trois quarts d'heure trop tôt et s'assit sur les marches face aux terrasses des cafés. L'escalier se peupla de solitaires comme lui, puis des groupes se formèrent. Une fois au complet, ils franchissaient les portes d'entrée.

Les marches se vidèrent, la frustration de Justin grandit. Il n'avait aucun moyen de joindre Natacha, il était impuissant, elle menait le jeu. Quand il resta seul sur le perron, il s'inquiéta. Il pensa à un accident et, à nouveau, au numéro d'où elle l'avait appelé. Il regretta de l'avoir effacé.

Les premières notes du concert s'échappèrent des fenêtres ouvertes du théâtre.

L'entracte n'était sans doute plus très loin, quand le cellulaire de Justin sonna.

— Je n'ai pas vu le temps passer et je ne trouvais pas de téléphone.

— Où es-tu ?

— À Copacabana. Dans un café.

— Tu connais son nom ?

— Attends... Le Mab's, je crois.

Justin se demanda si Natacha se moquait de lui.

— Ne bouge pas. Je te rejoins.

Par prudence, il rappela le numéro. Une femme lui confirma qu'il était au Mab's.

Justin téléphona à João. Comme il ne répondait pas, il se rabattit sur Edson.

— Natacha est au Mab's. Tu peux y aller ?

— Au Mab's ?

La voix d'Edson était amusée et incrédule.

— Oui... On s'y retrouve ?

— D'accord.

À l'arrivée de Justin, Natacha et Edson buvaient deux bières à une table de la terrasse, sur l'*avenida* Atlântica. L'âge légal de consommation d'alcool était le dernier souci du Mab's. Autour d'eux, des femmes fardées, dont la profession ne faisait aucun doute, susurraient des mots doux et leurs tarifs à des gringos aux tempes grises.

Justin s'assit à côté de Natacha :

— C'est ta définition d'excitant ?

Elle lui lança un regard ironique :

— Je ne pouvais pas deviner que des femmes de petite vertu travaillaient à l'ombre du drapeau canadien.

L'immeuble mitoyen hébergeait le consulat du Canada. L'unifolié pendait le long de sa façade.

— Malgré tes illusions perdues, tu es restée?

— Bien sûr. C'est un endroit intéressant.

Edson rectifia :

— Sordide.

Natacha ne répliqua rien. Justin changea de sujet :

— D'où m'as-tu appelé cet après-midi ?

— Une boutique. Le vendeur m'a prêté son téléphone.

— Que lui as-tu acheté ?

Elle sortit d'un sac sous la table cinq paires de tongs Havaianas :

— La corvée des cadeaux est achevée et je te l'ai épargnée.

Natacha vida le fond de son verre. Ses yeux brillaient. Justin se demanda si c'était sa première bière. Sa voix tressautait comme un vinyle de François D.

— Je vous invite à dîner.

— Où ?

Un sourire fier de lui creusa deux fossettes aux coins de sa bouche.

— Sur la place où je vous ai retrouvés hier...

Justin finit pour elle :

— ... pour manger ce qui alors te dégoûtait ?

Elle hocha la tête :

— D'accord ?

Edson haussa les épaules. Justin acquiesça : pour le bien de Cariocanuck et des archives de Joaquim.

Délivré de la circulation qui l'encerclait le jour, le

largo do Machado vivait des soirées paisibles. Les habitants du quartier déambulaient parmi les bouquinistes et les joueurs d'échecs. Des étudiants en musique travaillaient leurs gammes pour quelques pièces. Justin et Edson firent à Natacha une place entre eux au pied de leur arbre. Ils mangèrent de conserve. Elle décréta ses *esfihas* délicieuses sans risque de contradiction, puis appuya son dos et sa tête au tronc, et soupira de plaisir.

— Maintenant, concoctez-moi une fin de soirée digne de son début.

Edson ne demandait pas mieux :

— Allons au fort.

— C'est une discothèque ?

Edson sourit :

— Pas tout à fait, mais un club privé dont Justin est membre.

Edson reprit son téléphone :

— João doit être de retour.

Un taxi jaune les déposa devant le fort de Copacabana. Justin montra à la sentinelle la carte donnée par João. La grille s'ouvrit. João les attendait, étendu sur la pelouse, au pied du drapeau brésilien. Il les guida jusqu'à la chape de béton qui recouvrait les canons et dominait l'océan.

Natacha sourit à Justin :

— Merci de m'étonner.

Elle s'assit, jambes repliées, le menton sur les genoux. Edson et João l'encadrèrent, Justin s'étendit derrière elle. Ils écoutèrent les vagues, puis un coursier de Tip Top Fast, commandé par Edson et accompagné d'un garde, apporta trois cartons de *tortas do Justin* et de profiteroles *Julieta e Catherine*. Natacha tourna vers Justin un regard facétieux :

— C'est quoi la *torta* à ton nom ?

— Une plaisanterie idiote.

— Explique-la-moi.

Justin s'exécuta avec une feinte mauvaise grâce.

Un quart de lune orange rasait l'océan. Le halo argenté de Copacabana les éclairait à peine. Ils mangèrent à tâtons, puis Natacha bascula sur le dos pour compter les étoiles.

— Ça manque de coussins... Tu me prêtes tes cuisses, Justin ?

Il glissa vers elle et allongea ses jambes sous sa nuque. Elle tenta d'y faire son nid.

— Il y a trop de muscle.

Edson fut appelé en relève. La tête de Natacha trouva son bonheur.

— C'est mou comme un oreiller.

Justin maugréa contre ses mois de course à pied, mais sa journée de montagnes russes s'achevait près du sommet.

. . .

Justin entra dans la *favela do Pavão* et accéléra le pas. La nuit était tombée depuis longtemps, il était en retard. L'invitation avait été transmise par Márcia. Evaldo voulait le remercier d'avoir aidé sa famille durant son emprisonnement. Justin avait souhaité reporter le souper après le départ de Natacha, puis avait accepté pour se prouver qu'elle ne dictait pas sa vie.

Sa journée avait été exécrable. Le matin, João, Edson, Natacha et lui avaient embarqué, dans la marina de Glória, sur un voilier de dix mètres, que João avait emprunté la veille au Club naval de Charitas. Sous sa gouverne, ils étaient sortis de la baie de Guanabara, puis avaient longé la côte vers le sud. João avait jeté l'ancre au large de Barra de Guaratiba. Ils s'étaient baignés dans l'eau profonde.

Justin détestait les questions sur la cicatrice qui balafrait son dos. De Natacha, il les avait espérées. Au lieu d'une curiosité déplacée, elles auraient démontré son intérêt pour lui. Il avait exhibé sa colonne vertébrale meurtrie sans qu'elle dise un mot.

João avait rapproché le voilier de la côte. Ils avaient mouillé au bord de la plage où Justin et François D. avaient passé, avec Márcia et Xuxa, leur premier carnaval brésilien. La *barraca* n'avait pas bougé, ils y avaient mangé. Chaque mot de Justin avait déclenché les sarcasmes de Natacha. Au moindre propos d'Edson, elle avait ri aux larmes. Gêné, Edson n'avait plus ouvert la bouche. Justin ne s'était pas révolté. João avait observé en silence.

L'après-midi, allongée sur le sable, derrière des lunettes noires, les écouteurs de son iPod enfoncés dans les oreilles, Natacha s'était enfermée à double tour dans un monde régi par un rock violent qui aurait plu à François D.

Quand ils avaient remis les voiles vers Rio, elle s'était assise à la proue du bateau. Justin l'avait rejointe. Il rêvait encore de quelques minutes d'intimité, elle l'avait congédié :

— J'aimerais être seule.

De retour à quai, il l'avait laissée sans un mot aux soins de João et Edson.

Justin n'avait jamais perdu ainsi la maîtrise de son monde. Son esprit fonctionnait à vide, sans prise sur les événements, comme un embrayage cassé. Embarrassés, João et Edson fermaient les yeux et se taisaient. Edson n'osait même pas se moquer de lui.

À mesure qu'il grimpait dans la *favela do Pavão*, Justin se rebella. Natacha était sans importance. À trop croiser Linda au bras d'autres garçons, Justin avait renoncé à la voir. Le retour d'Evaldo le privait de Lucia. Silvia sortait avec un garçon si banal que ses charmes en pâlissaient. Natacha arrivait juste au bon moment. Justin était mûr pour « tomber en amour majeur ».

Natacha faisait son éducation sentimentale. Grâce à elle, Justin appliquerait ensuite aux sentiments l'opportunisme que son grand-père Michel lui avait enseigné en politique. Il n'avait qu'à faire le dos rond. Dans moins d'une semaine, Natacha repartirait. Le drame serait qu'ils s'entendent et soient séparés si vite. Natacha n'avait qu'une utilité: assurer une subvention à Carioca-nuck et un toit aux archives de Joaquim. Justin parviendrait à ses fins quoi qu'il en coûte.

Quand il frappa à la porte de Márcia, il souriait. Elle portait une robe à motif vert et rose qu'il ne connaissait pas.

— Tu me plais beaucoup, Márcia.

Justin lui remit la bouteille de vin blanc subtilisée dans la réserve de François D. et la *moqueca de peixe* qu'il avait préparée l'avant-veille.

— Tu avais peur de mourir de faim?

Justin fit la moue:

— Plutôt peur qu'à la *cobertura*, ma cuisine plaise aussi peu que ma compagnie.

— Que va devenir mon *vatapá*?

— Il sera encore meilleur demain.

Dans la pièce principale, la table était mise sur une nappe de dentelle. Lucia et Xuxa aussi s'étaient faites belles. Justin fut heureux de s'être changé. La porte de la chambre était ouverte. Evaldo y endormait Alicia. Il apparut et enserra Justin dans un *abraço* qui lui coupa le souffle.

Evaldo ne ressemblait pas à ses photos. Il avait un visage séduisant sous son crâne rasé de prisonnier. Ses yeux vifs, son sourire et son teint chocolaté rappelaient Marciá.

— Justin, je ne sais pas ce que ma famille serait devenue sans toi. Maintenant, tu en fais partie. Pour moi, tu es un frère, plus jeune et intelligent.

Justin espéra que c'étaient des mots en l'air.

Evaldo portait un costume de coton blanc, avec une pochette turquoise comme sa chemise, et des chaussures de tennis blanche. Son élégance exubérante rappela à Justin les *malandros*, les mauvais garçons aux airs de dandy du folklore carioca, vus en photos dans les caisses de Joaquim.

Ils se mirent à table. Evaldo monopolisa la parole. Il regardait Justin, comme s'il ne s'adressait qu'à lui. Justin réalisait avec difficulté qu'Evaldo était à peine majeur. Il racontait ses années de prison comme lui aurait parlé de sa semaine au lycée Molière.

Márcia apporta le plat principal :

— C'est Justin qui régale.

Lucia goûta et sourit :

— C'est très bon, Justin.

Márcia et Evaldo le complimentèrent à leur tour. Il se sentit bêtement flatté. Sa première bouchée lui confirma qu'ils avaient raison.

Evaldo tenait d'une voix posée, sans amertume, des propos de vieux criminel repenti.

— J'ai commis des erreurs de jeunesse, mais c'est fini. Alicia et Lucia sont trop importantes, Márcia et Xuxa aussi. Je ne détruirai pas ce que tu as sauvé pour moi, Justin.

Lucia et Márcia opinaient pour se convaincre. Xuxa exhibait un sourire désabusé.

Evaldo gardait près de lui une bouteille de *cachaça*.

Il remplit à nouveau son verre. Les dernières semaines avant son arrestation, il était en permanence soûl ou drogué. Son visage n'en portait plus trace et son corps semblait vigoureux sous ses vêtements. La prison avait aussi été une cure de désintoxication.

Márcia venait de servir le café, quand Evaldo saisit le bras de Justin :

— Maintenant que je t'ai rencontré, je veux que tu sois le parrain d'Alicia.

Justin sursauta. Il regarda Lucia, elle confirma de la tête son approbation. Justin ne ressentait aucune affection pour Alicia, elle n'avait été qu'un obstacle à ses rencontres avec Lucia. Il ne voulait aucune obligation à son égard et encore moins, à travers elle, envers Evaldo.

— Quand mon père sera muté, moi aussi, je partirai. Ce serait un mauvais service à rendre à Alicia. Elle mérite un vrai parrain.

Evaldo resserra son étreinte sur le bras de Justin.

— Alicia a déjà un parrain. Je croyais que c'était un ami ; c'était juste un bandit et un imbécile. C'est ma faute. Je désire la rattraper. Je ne serai peut-être pas toujours là. Je veux qu'Alicia puisse compter sur quelqu'un comme toi.

Justin tourna son regard vers Xuxa. Elle hésita, mais n'intervint pas. Justin était piégé. Refuser insulterait Evaldo, sans doute aussi Márcia.

— Je ferai de mon mieux, tant que je serai ici.

Lorsque Justin quitterait Rio, Alicia serait toujours une enfant. Justin ne pourrait rien pour elle et beaucoup pour Evaldo. Il se demanda s'il était devenu un parrain du *Pavão*. Evaldo lâcha son bras et se resservit en *cachaça*.

Quand Justin se leva pour partir, Evaldo insista pour le raccompagner. Ils descendirent le chemin vers Copacabana.

— Toi et ton père êtes des gens bien, Justin. À chaque visite, Márcia et Lucia me parlaient de Cariocanuck. Moi aussi, je veux travailler pour l'association. J'ai beaucoup réfléchi et appris en prison. Je ne suis pas éduqué comme toi, mais j'ai des idées. Je suis né ici, je connais la *favela*, je pourrai t'aider. J'aimerais qu'un jour Alicia soit fière de moi.

Justin ne répondit rien. Ils atteignirent la *rua* Saint Roman. Face à l'entrée de la *favela*, les néons de la *lanchonete* Tocantins brillaient encore. Evaldo y entraîna Justin. Le patron essuyait des verres. Il connaissait Justin, qui buvait parfois un jus de fruits au comptoir, et lui jeta un regard surpris à cause de sa compagnie.

Evaldo demanda une bouteille de vieille *cachaça* et un verre. Il les emporta à une table posée sur le trottoir. Justin le rejoignit avec une canette de boisson gazeuse.

— L'homme que tu as attaqué, l'Indien, veut se venger.

Evaldo dévissa le bouchon de la bouteille et se servit:

— Qui te l'a dit?

— Quelqu'un qui préfère rester sans nom.

Evaldo vida son verre cul sec.

— Alors, je sais qui c'est.

Un rictus enlaidit sa bouche, son regard était devenu vitreux.

— Bota, ou Fogo. Sans doute Bota, l'autre est trop stupide.

L'haleine empestait l'alcool, la voix restait claire:

— Notre mère, à Márcia et moi, est *ialorixá*, mais je ne crois pas beaucoup au surnaturel. Pourtant, en prison, quand j'ai réfléchi à ce que j'avais fait, je me suis dit qu'à l'époque, je n'étais pas moi-même. Tu connais cette impression?

Justin acquiesça et, pour la première fois de la soirée, pensa à Natacha: face à elle, il ne se reconnaissait plus.

— Je ne comprenais pas quel diable m'avait pris d'être aussi stupide. J'avais un bon travail, de quoi vivre avec Lucia. Je prenais des paris clandestins sur toute la zone de Copacabana, le gang de la *favela* de São Conrado me faisait confiance. Puis, j'ai gardé plus que ma commission sur les enjeux, pour faire la fête. J'ai remplacé la *maconha* par des drogues dures, il m'a fallu encore plus d'argent. Je trafiquais les registres. Quand l'Indien m'a demandé des comptes, il paraît que j'ai sorti mon couteau, je ne me souviens de rien. J'étais soûl et drogué, mais ça n'explique pas tout. Márcia m'a dit que tu t'intéresses au *candomblé*?

— Un peu.

— Si tu y crois, tu parleras de magie noire et de possession. Sinon, de manipulation et de mauvaises influences. Pour moi, c'est les deux et ils reviennent au même. Derrière, il y avait Bota et Fogo. Ce sont des *erês*, les esprits malins du *candomblé*. Ils sèment la discorde et poussent au crime. Bota est plus jeune que moi, mais vicieux, méfie-toi de lui. Il m'a mis dans le crâne que je méritais mieux que mon sort ; le gang me manquait de respect ; que l'Indien était jaloux et disait du mal de moi à São Conrado. Bota parlait comme un ami ; peu à peu, il m'a convaincu. Fogo, lui, m'offrait de la drogue, d'abord à crédit. Quand j'ai été au fond du trou, ils m'ont dénoncé, pour prendre ma place. Ils y seraient parvenus grâce à l'enlèvement de Xuxa, si, à cause de toi, le gang n'avait pas commencé à avoir des doutes à leur sujet. Tout se sait en prison. Maintenant, ils ont peur, car je suis de retour et ils aimeraient ranimer la guerre entre l'Indien et moi. Mais j'ai parlé aux gens de São Conrado, ils veulent une réconciliation. L'Indien me rencontrera demain.

— Fais attention quand même.

Evaldo reboucha la bouteille de *cachaça* sans se servir :

— Il me fait confiance, il vient dans la *favela*. Je lui expliquerai tout et c'est Bota et Fogo qui auront raison de s'inquiéter.

Justin rentra à la *cobertura*. Il s'arrêta devant la porte de Natacha. Edson et João avaient prévu de l'emmener dans le quartier de Lapa pour la soirée. Justin vérifia qu'aucun message n'était arrivé sur son cellulaire. Il hésita longtemps, puis se coucha sans ouvrir la porte pour s'assurer qu'elle était de retour.

Chapitre 3

— Tu as vu Natacha ?

Márcia secoua la tête. Il était à peine neuf heures trente, mais Justin s'inquiéta. Il appela la réception : Pedrinho était parti, son service de nuit achevé.

Justin se posta devant la chambre de Natacha. Aucun bruit n'en parvenait. Il tourna avec précaution la poignée et entrebâilla la porte. La pièce était dans le noir. Il ne vit d'abord rien, puis ses yeux s'accoutumèrent. Il devina des vêtements sur le parquet, puis une forme sous les draps.

L'esprit tranquille, il savoura son *café de manhã* solitaire, puis installa son ordinateur sur la terrasse. Deux de ses amis avaient répondu à sa demande d'information. Les témoignages qu'ils avaient réunis étaient de seconde ou troisième main, obtenus de camarades de collège qui connaissaient Natacha ou certaines de ses fréquentations plus ou moins proches. Les avis étaient contrastés. Natacha était tour à tour « dangereuse », « séductrice », « manipulatrice », « égoïste », une « peste », un « danger public », une « chic fille », « drôle », « brillante », « intelligente ». Un qualificatif frappa Justin plus que les autres : « déséquilibrée ».

Il remercia ses amis pour leurs renseignements, puis rédigea un courriel édulcoré mais détaillé des derniers jours à l'intention de son père. Justin était certain que François D. le transmettrait à Luc Desbiens. Il souhaitait donner de lui au ministre une image responsable.

Natacha n'était toujours pas apparue. Justin espérait l'emmener dans la *favela do Pavão*, mais elle ne commanderait plus son emploi du temps. Il appela Edson et entendit un concert de klaxons :

— Je suis dans le bus. Je rejoins João au salon de thé du fort. Tu nous y retrouves ?

Justin laissa à Márcia un mot pour Natacha. Le jour férié du Vendredi saint avait transformé Copacabana en champ de parasols. João et Edson étaient assis à une table en terrasse, les jambes étendues sur le parapet qui séparait l'enceinte militaire du sable, de la mer et de la foule.

Edson releva ses lunettes de soleil :

— Qu'as-tu fait de Natacha ?

— Elle dort.

Edson sourit :

— C'est vrai qu'elle s'est beaucoup dépensée.

— Vous êtes rentrés à quelle heure ?

— Le plus tôt possible, mais les bars musicaux de Lapa ne s'animent qu'à vingt-trois heures et Natacha n'avait pas envie de partir.

— Tout s'est bien passé ?

— Elle te le dira. En tout cas, elle aime beaucoup danser, ne passe pas inaperçue et se fait vite des amis.

— Ça veut dire quoi ?

— Qu'elle aime tourner les têtes, sans perdre la sienne.

João leva les yeux de son magazine de voile :

— Ne l'écoute pas, Justin. Il parle de Natacha comme d'une allumeuse mais, hier soir, il craignait qu'elle soit victime d'une mauvaise rencontre.

Edson hocha la tête et changea de ton :

— *Monginho* a raison. Dans l'avant-dernier bar où nous sommes allés, elle a dansé avec un homme d'une trentaine d'années, puis l'a suivi au comptoir. Ils ont bu et discuté. Quand je me suis approché, elle ne m'a pas présenté et lui m'a jeté un regard à me faire déguerpir.

— Il ressemblait à quoi ?

— Le genre grand brun ténébreux qui emballe les filles comme un boucher les gigots.

Justin tenta de plaisanter :

— Toi dans quinze ans ?

Edson ne sourit pas :

— Je n'ai pas aimé ce type. J'avais l'impression

bizarre qu'il la connaissait déjà. Ils ont à peine dansé cinq minutes avant d'aller discuter au comptoir et Natacha avait insisté pour visiter ce bar.

— Comment ça s'est fini ?

— Le type est parti, nous avons changé de bar et ne l'avons pas revu.

Justin ressentit un malaise. Edson n'était pas du genre à s'inquiéter pour rien. Ils restèrent silencieux, puis João referma son magazine :

— Qu'as-tu pensé du demi-frère de Márcia ?

Justin se trouva embarrassé :

— Je ne sais pas. Sans doute un peu « Dr. Jekyll et M. Hyde ».

Il allait rapporter à João les propos d'Evaldo sur Bota et Fogo, afin qu'il mette Bota en garde, puis se ravisa. Il ne voulait pas se trouver dans le feu croisé des règlements de compte entre Evaldo, l'Indien et les deux *rapazes*.

Natacha arriva avec le sourire, un teeshirt fuchsia, de la couleur de ses cuisses brûlées par le soleil, enfilé sur son maillot de bain. Elle offrit une bise à chacun, puis ils gagnèrent la plage *do Arpoador*. D'énormes rouleaux s'abattaient sur le sable. Il y avait peu de baigneurs et encore moins de surfeurs.

Natacha enleva son teeshirt et plongea dans une vague prête à déferler. Justin la suivit des yeux, tandis qu'elle s'éloignait vers le large. Elle nageait bien.

Quand Natacha ressortit de l'eau, la mer avait encore forci. Elle marcha vers João et Edson.

— Vous me donnez ma première leçon de surf?

Le dernier surfeur à l'eau sauta dans les airs comme un bouchon de champagne. Sa planche regagna seule le rivage. Le maître sauveteur dégringola de son mirador. João courut à sa suite vers la mer.

Edson se tourna vers Natacha:

— Ce n'est pas le bon jour pour apprendre à tomber sans se faire mal.

— Tant pis, j'essaierai à Búzios.

Edson leva un œil inquisiteur vers Justin, qui lui demanda de la main un peu de patience. João et le maître sauveteur traînèrent le surfeur groggy hors de l'eau. Il reprit son souffle à quatre pattes sur le sable.

Natacha se dirigea vers eux et prit la main de João:

— Montre-moi les beautés d'Ipanema.

Ils s'éloignèrent bras dessus bras dessous, au bord de l'eau.

Justin et Edson trouvèrent un bout d'ombre sous un palmier et s'allongèrent, appuyés sur leurs coudes.

— C'est quoi cette histoire de Búzios?

— Natacha m'a demandé d'y aller.

Edson afficha un sourire sarcastique:

— Et tu as oublié de nous en parler?

— J'ai seulement su hier soir que nous avions une maison, de demain à mardi.

— João et moi sommes invités?

Justin répondit sincèrement:

— Je ne sais pas.

— Si le baromètre Natacha est au beau fixe, tu ne veux pas nous voir, mais s'il dégringole, nous devons rappliquer?

— C'est un peu ça.

— Décide-toi.

Justin n'était pas plus avancé quand João et Natacha réapparurent. Elle remit son teeshirt :

— Je file, j'ai plein de choses à faire.

Elle ajouta pour Justin :

— Je serai à l'heure à la *cobertura*. Promis.

Justin opina, l'air indifférent. Natacha s'éloigna en direction de Copacabana. Edson mit João au courant pour Búzios. João émit un rare avis non sollicité :

— Vas-y sans nous, Justin. Sinon, tu le regretteras. Natacha t'aime bien, elle nous l'a dit hier.

Edson fit la moue :

— Je ne sais pas si vos biorythmes sont compatibles.

Justin leva les yeux vers Edson :

— Explique-toi.

— Elle t'aime bien par moments, tu l'aimes bien par moments, mais ce ne sont pas les mêmes. Mercredi soir au fort, elle a dit qu'elle y passerait bien la nuit, tu t'es dépêché de répondre qu'il était temps de partir.

— Toi et João veniez de vous lever pour aller vous coucher.

— Et vous laisser seuls, abruti. Jeudi matin, elle n'attendait que toi à l'avant du bateau, tu as préféré aider João avec les voiles.

— Parce que tu ne voulais pas t'en occuper.

— Ensuite, parce qu'elle refusait de te caresser dans le sens du poil, tu as affiché des airs de martyr à donner envie de te botter les fesses.

Justin chercha l'aide de João :

— C'est ton souvenir de la journée ?

João secoua la tête :

— J'avais l'impression que Natacha ne se sentait pas bien et t'utilisait comme souffre-douleur.

Justin traça du doigt des points d'interrogation dans le sable. Natacha aurait sans doute une version différente. Il se demanda si l'une d'elles était vraie.

— J'irai à Búzios seul avec Natacha.

João et Edson échangèrent un sourire, comme s'ils connaissaient la décision de Justin depuis longtemps.

— Mais si sa lune de miel tourne au vinaigre, *monginho*, il composera 199JoãoEdson pour que nous accourions arrêter la scène de ménage.

• • •

— Où es-tu allée ?

À la surprise de Justin, Natacha n'esquiva pas la question :

— Xuxa m'a fait visiter la *favela do Pavão*.

Justin ressentit une amertume de laissé pour compte.

— Tu aurais dû me le demander.

— Je voulais le meilleur guide. Xuxa a toujours vécu là-bas. Maintenant, je sais tout de Cariocanuck.

— Et qu'en penses-tu ?

Ses fossettes se creusèrent aux coins de sa bouche :

— Xuxa et toi n'avez pas le profil des bons samaritains traditionnels. Ça tombe bien, car ils m'ennuient.

Quand ils descendirent avec leurs sacs de voyage dans le stationnement de l'immeuble, Manuel les attendait au volant de la Lexus. François D. avait béni par courriel l'escapade à Búzios, pourvu que Manuel leur serve de chauffeur et chaperon.

Manuel déposa les bagages dans le coffre.

— Tu t'es arrangé avec Edson ?

Justin fit signe que oui. Edson avait appris sans plaisir qu'il faudrait à son restaurant Tip Top Fast un autre agent de sécurité pour les prochains jours.

Manuel se dirigea vers la lagune Rodrigo de Freitas, puis emprunta le tunnel Rebouças sous le Corcovado et rejoignit la *linha* Vermelha en direction de la *Baixada Fluminense*.

Sophie Dauby avait répondu au message de Justin. Elle connaissait un *terreiro* qui organiserait une cérémonie publique le Vendredi saint. Ce *terreiro* hors normes s'appelait Ilé Axé Xangô Leonidas. Ilé signifiait la maison, Axé désignait l'énergie sacrée. Le *terreiro* mêlait *candomblé* et *umbanda*, possession par les dieux afro-brésiliens et les esprits des morts. Il était dirigé par un *babalorixá* né sous le signe de Xangô, qui y accueillait un médium possédé par l'*exu* Leonidas.

Le *candomblé* et l'*umbanda* s'opposaient et se ressemblaient. Un mot résumait l'ambiguïté de leurs relations : *exu*. Avec une majuscule, il était unique, l'*orixá* du *candomblé* sous le signe duquel Justin était peut-être né ; avec une minuscule, il devenait multiple et désignait les esprits des morts qui parlaient à travers les médiums. Justin ne croyait pas fortuite cette confusion des mots : Exu était à la fois le diable et l'intermédiaire entre les dieux et les hommes ; les *exus* aussi étaient des diables à leur manière, les esprits de criminels ou de marginaux et, via les médiums, des passeurs entre le monde des vivants et l'au-delà. L'*exu* Leonidas était l'esprit d'un esclave africain révolté, qui avait créé un *quilombo*, une république d'esclaves en fuite, au XIXe siècle.

Le *terreiro* était situé à Duque de Caxias, un ancien faubourg de Rio, devenu une agglomération de plusieurs centaines de milliers d'habitants, pauvres ou modestes, souvent issus du Nordeste. C'était la ville principale de la *Baixada Fluminense,* la région au-delà de la baie de Guanabara. Un nuage de pollution violet y stagnait quand ils s'en approchèrent. La Lexus s'enfonça dans un crépuscule fluorescent. Lorsque Manuel se gara en face du *terreiro*, il faisait presque nuit. Une petite foule occupait le trottoir devant l'entrée de l'enceinte. Des vendeurs ambulants y avaient installé leurs chariots.

Justin et Natacha franchirent la porte du périmètre sacré. Chaque *terreiro* était la réplique symbolique d'un village africain. Il était composé d'une maison et d'un espace découvert. Même si le *terreiro* était consacré à Xangô, tous les *orixás* y possédaient un sanctuaire, intérieur ou extérieur, selon qu'ils étaient des divinités des villes ou de la brousse.

Un petit autel de pierre se dressait derrière la porte d'entrée. Justin savait par les leçons de Joaquim que l'autel était dédié à Exu, son *eleda*, le premier *orixá* auquel il fallait faire une offrande. Certains y voyaient une extorsion rituelle destinée à amadouer la nature malfaisante d'Exu; d'autres au contraire, un remerciement, car l'*orixá* empêchait le mal de pénétrer dans le *terreiro*.

Justin posa sur l'autel un *acaçá*, de la pâte de maïs enveloppée dans une feuille de bananier, cuisinée par Márcia. Il lui sembla faire allégeance à son *orixá* ou au moins lui consentir une existence réelle, puisqu'il le nourrissait.

Justin et Natacha traversèrent une grande cour pavée, plantée d'amandiers. Une estrade avait été dressée contre le mur d'enceinte, deux hommes y installaient des baffles et des amplificateurs.

Justin et Natacha se dirigèrent vers la maison. Une petite femme menue en sortit. Elle souriait de toutes ses dents.

— Vous êtes les amis de Sophie ?

Justin acquiesça. Aïda était *ogan*, comme Aurelio. Non initiée, elle travaillait comme bénévole à la gestion des affaires non religieuses du *terreiro* pour lui obtenir des appuis politiques et financiers dans la société civile. Aïda mena Justin et Natacha dans un grand salon voûté à la manière d'une cave et aux murs blancs sans fenêtre. Des chaises et des tables avaient été disposées derrière une balustrade. Presque toutes les places étaient occupées. Aïda indiqua des sièges encore libres à Justin et Natacha, et s'assit à côté d'eux. Elle souriait toujours de toutes ses dents.

— Ici, nous pratiquons le métissage religieux. Les fidèles du *candomblé* comme de l'*umbanda* sont bienvenus. Les murs tombent, les eaux se mélangent. Ce soir, vous allez assister à une première. Le *candomblé* traditionnel exclut toute cérémonie le Vendredi saint, car c'est le jour de la mort du Christ, c'est-à-dire, dans le *candomblé*, d'Oxalá. Oxalá est l'*orixá* de la vie, mais ce soir il manquera à l'appel. Et si Oxalá ne se présente pas, personne ne sait si les autres *orixás* se manifesteront et descendront dans la tête de leurs *filhos* et *filhas de santo* y déclencher la transe. Nous allons mener l'expérience. L'absence d'Oxalá laisse la voie libre aux *exus*, les esprits des morts. Le *candomblé* et l'*umbanda* vont se livrer un match pour la possession des fidèles. Avec leur équipe au complet, les *orixás* sont considérés les plus forts, mais privés d'Oxalá, ils ne résisteront peut-être pas aux assauts des *exus*. Le match entre la vie et la mort sera indécis comme jamais.

Le sourire d'Aïda se transforma en petit rire :

— Vous allez assister au premier *Fla-Flu* du *candomblé* et de l'*umbanda*.

Aïda alla accueillir d'autres invités. Justin traduisit à Natacha ce qu'il avait cru comprendre.

Des musiciens s'installèrent en face d'eux avec leurs instruments, les mêmes en apparence que durant les séances de *capoeira* : le *berimbau*, l'arc musical, l'*agogô*, la double clochette métallique, et surtout, les *pandeiros*, les tambourins : le *rum*, le *le*, et le *rumpi*, le grand, le petit et l'intermédiaire. Pour les adeptes, pourtant, ils étaient sacrés. Eux aussi avaient subi des rituels et reçu des offrandes. La voix des *orixás* s'exprimait à travers eux, ils étaient des médiums. Natacha écoutait les explications de Justin, elle semblait intéressée.

Les tambours se mirent à jouer. Les initiés entrèrent en file indienne dans le salon. Ils étaient une trentaine, tous afro-brésiliens, une majorité de femmes, les plus âgées vêtues à la bahianaise, de larges robes brodées qui leur descendaient jusqu'aux pieds, un turban noué autour des cheveux, les autres comme dans la rue, de jeans, jupes, teeshirts. Les hommes ne portaient que du blanc.

Les *berimbaus* et l'*agogô* rejoignirent les tambours et les musiciens entonnèrent des chants, en langue africaine, au sens souvent perdu. Justin se pencha à l'oreille de Natacha :

— Les chants vont invoquer tour à tour les différents *orixás*. L'ordre varie, mais Exu est toujours le premier, car il est jaloux de ses prérogatives, et Oxalá le dernier, car il est l'*orixá* le plus important. À mesure qu'ils sont appelés, les *orixás* sont supposés prendre possession de leurs initiés et les monter comme des chevaux, mais ce soir Oxalá ne viendra pas, car il est mort jusqu'à dimanche, et les autres *orixás* ne se manifesteront peut-être pas sans lui.

Les *filhos* et *filhas de santo* dansaient d'un pas presque lourd, tandis que leurs bras traçaient des mouvements larges dans l'espace. Ils tournaient sur eux-mêmes au ralenti et, sans le toucher, autour d'un mât planté au centre de la pièce.

— C'est l'axe du *terreiro*, il relie le sol au plafond, la terre et le ciel. Il est érigé au-dessus d'objets de culte enterrés à la fondation du *terreiro*.

— Quel genre d'objets?

— Ici, je ne sais pas. Souvent des plats et des coupes utilisés pour les offrandes aux *orixás* et des statuettes de la divinité tutélaire du *terreiro*. Ces objets renferment l'*axé*, l'énergie sacrée. Par le mât, elle transite entre la terre et le ciel.

Les chants eurent beau se succéder, les danses ne se métamorphosaient pas en transes. Natacha toucha l'épaule de Justin:

— Je vais chercher quelque chose à boire.

Elle quitta la salle. Justin ne la suivit pas. Il était la proie d'une angoisse croissante. C'était la vraie raison de sa répugnance à visiter un *terreiro*. Il craignait qu'Exu s'empare de lui de force. Les possessions du *candomblé* étaient en grande majorité douces, car les *filhos* et *filhas de santo* avaient franchi toutes les étapes de l'initiation. Le processus durait des années. Scandé de cérémonies, il familiarisait petit à petit les novices au voisinage de leur *orixá*. Quand il descendait enfin dans leur tête, ils étaient prêts à l'accueillir, mais il arrivait parfois que l'*orixá* prenne possession d'un non-initié. La transe était alors sauvage et traumatisait le participant pris malgré lui. Surtout si l'*orixá* s'appelait Exu : même ses possessions de ses *filhos* et *filhas de santo* étaient violentes ; c'était pourquoi il en avait si peu. Qu'Exu ait le caprice de monter un non-initié et sa possession serait dévastatrice.

Née lors de l'invocation d'Exu, l'angoisse de Justin augmentait de chant en chant, comme si l'*orixá* était déjà là, mais attendait son heure en coulisse. Justin tentait de fermer, comme des portes et des fenêtres, ses sens à la cérémonie, mais il lui semblait ainsi créer en lui un vide qu'Exu n'aurait plus qu'à remplir. Toutes les transes sauvages débutaient peut-être ainsi.

La chaleur grimpait dans la salle sans fenêtres, chargée de la sueur des danseurs et de l'électricité de l'attente. Justin se leva et gagna la porte, puis l'air libre. La fraîcheur le ranima. Une centaine de personnes s'étaient regroupées devant l'estrade. Un DJ y monta et une musique électronique, aux accents de funk carioca, retentit sur le rythme assourdi des tambours de la salle.

Les spectateurs, plus jeunes que les *filhos* et *filhas de santo* de la cérémonie de *candomblé*, se mirent à danser comme à un concert privé. Justin devina en eux des adeptes de l'*umbanda*.

Il chercha Natacha, mais ne la vit pas et sortit dans la rue. Sur le trottoir aussi, la foule avait grossi. Il acheta une bouteille d'eau et en vida la moitié d'un trait. Les vendeurs ambulants mélangeaient des alcools peut-être frelatés avec de l'*açaí* et de la poudre de *guaraná* pour doper la nuit de leurs clients. Justin reconnut devant l'un d'eux les cheveux courts et le profil de Natacha. Un jeune Noir longiligne lui tendait un gobelet. Elle le prit et ils trinquèrent. La puissance du cocktail étouffa Natacha. Elle éclata de rire.

Justin grimaça. Il se retint de courir les séparer et traversa la rue sans que Natacha le voie. Manuel était assis sur le capot de la Lexus. Deux voitures de police gardaient chaque extrémité de la rue.

— Tu ne t'ennuies pas trop ?

Manuel sourit :

— Ça me change de la porte du Tip Top Fast.

Justin lui offrit le reste de sa bouteille d'eau, puis retourna dans la cour. Le funk carioca du DJ, joué sur le fond sonore des chants et tambours du *candomblé*, lui rappela les compositions de *Mestre* Cobra.

Alors qu'il contournait les danseurs vers la maison, son regard rencontra le visage fin du grand Noir qui avait offert un verre à Natacha. Elle lui faisait face, et souriait.

Ils étaient engagés dans le même corps à corps sensuel auquel Linda avait invité Justin la nuit de sa première Saint-Sylvestre à Rio.

Justin les observa. Sa jalousie et sa rage gonflèrent, la tentation devint trop forte. Il fendit la foule et s'immisça presque de force entre eux. Il tenta de caler son corps sur les rythmes de Natacha, mais où Linda l'avait aidé, elle le regardait en riant. Ils se faisaient face, mais dansaient déconnectés l'un de l'autre. Natacha secoua la tête et retourna à son partenaire.

Justin se retrouva seul, immobile au milieu des danseurs. Il tenta de cacher sa déconfiture derrière un rictus, puis battit en retraite, écarlate d'humiliation, furieux contre lui-même d'avoir permis à Natacha de l'insulter aux yeux de tous.

À son retour dans la salle, les tambours avaient haussé le ton en réplique à la musique électronique de la cour. Il rejoignit sa place. Les chants s'interrompirent et les tambours accélérèrent encore la cadence. Un frisson collectif s'éleva. Les musiciens jouaient un *toque de fundamento*, un rythme dont la puissance précipitait la transe quand elle tardait trop. Une première *filha de santo* y répondit. Justin s'en aperçut quand les voisins la pointèrent du doigt. La frontière était infime entre la danse et la transe. Peut-être les gestes gagnaient-ils en majesté, le corps atteignait-il un état de relaxation absolue, tandis qu'il s'abandonnait aux mains de son *orixá*. Mais c'était surtout le visage qui resplendissait, transfiguré et libéré de ses soucis terrestres. Une dizaine d'adeptes entrèrent tour à tour en transe. Leurs yeux brillaient, fixés sur l'au-delà, ou se refermaient sur des visions intérieures. Les danseurs laissés pour compte par leurs *orixás* libérèrent le centre de la pièce. La tension dans la salle chuta, les possessions respiraient l'harmonie et la sérénité. Les adeptes montés par leur *orixá* empoignèrent le mât central et s'enroulèrent autour de son énergie sacrée. Les corps ne suaient plus, la fatigue s'effaçait comme le temps. Justin ferma les yeux et oublia Natacha, comme si la proximité de la transe lui transmettait ses bienfaits et purgeait son cœur de son humiliation et ses peines.

Des exclamations le ramenèrent à lui. À la porte de la salle, des danseurs de l'extérieur tentaient de forcer le passage. Les adeptes du *candomblé* résistaient à sa fusion avec l'*umbanda*. Aïda leur fit signe de libérer la voie, elle souriait toujours. Les nouveaux venus s'approchèrent des *filhos* et *filhas de santo* en transe et dansèrent sous leur nez, toujours sur les rythmes du funk carioca de la cour, sans les troubler. De nouveaux danseurs arrivèrent du dehors. La cérémonie sacrée et le concert profane se télescopèrent. Un danseur se figea, des spasmes le secouèrent, une litanie incompréhensible jaillit de sa bouche. Un murmure se répandit autour de Justin : l'*exu* Leonidas avait pris possession de lui. Une femme à son tour cessa de danser, fit quelques pas de somnambule, puis se mit à parler, le corps raidi et le visage crispé, une langue africaine dont elle ignorait tout. Autour d'elle, les *filhos* et *filhas de santo* dansaient toujours, hors d'atteinte, dans la possession silencieuse de leur *orixá*.

Justin remarqua Natacha et son cavalier dans l'encoignure de la porte d'entrée. Ils regardaient le spectacle, un verre à la main, puis Natacha vida le sien et entraîna son compagnon vers le centre de la salle. Ils dansèrent à nouveau, fusionnés l'un à l'autre, puis Natacha abandonna son compagnon et se démena seule. Elle sautait sur place, lançait ses bras en l'air, secouait la tête. Justin s'efforçait au détachement, comme si Natacha n'avait été pour lui qu'un objet de recherche. Il observait ses gestes de plus en plus désordonnés et son regard plein de brouillard avec la curiosité clinique qu'il imaginait à Sophie Dauby face à ses sujets d'étude.

Les sauts de Natacha s'espacèrent, puis elle tangua et tituba, comme la première femme possédée par l'*exu* Leonidas, articula des sons rauques et les répéta à tue-tête, d'une voix saccadée comme ses gestes d'automate. Son cavalier la regardait effaré. Un tremblement saisit tout son corps, puis elle glissa au sol et y resta inerte, couchée en chien de fusil. Le grand Noir se pencha sur elle, mais une vieille femme, une *ekedy*, chargée de veiller sur les *filhas de santo* en transe, l'écarta de la main. Elle fit signe à deux de ses assistantes. Jeunes et costaudes, elles soulevèrent Natacha, puis l'emmenèrent hors de la salle par une porte dissimulée derrière les musiciens.

Justin n'avait pas bougé. Il n'essaya pas de les suivre. L'accès aux autres pièces lui serait interdit. Justin n'était pas inquiet. Il ne croyait pas à la transe de Natacha. Elle s'était juste donnée en spectacle, encore une fois. Il reconnaissait son talent. Comme sa mère, Natacha était une interprète. Elle ne jouait pas des partitions, mais des rôles. Ils changeaient sans fin. Justin avait cherché à la comprendre ; il n'y avait rien à comprendre.

Les rythmes des tambours ralentirent, les incantations du début reprirent en ordre inverse, le rituel l'exigeait ainsi, toujours sans Oxalá. Les *orixás* repartirent d'où ils étaient venus, tandis que les danseurs arrivés de la cour y retournaient, certains sous l'emprise de l'*exu* Leonidas. Les *filhos* et *filhas de santo* retrouvèrent la possession de leurs corps, encore illuminés d'y avoir accueilli des divinités. La cérémonie s'acheva sur un dernier tintement de l'*agogô*, et ne résonnèrent plus dans la salle que les échos de musique électronique.

Natacha réapparut alors que les novices du *terreiro* apportaient aux invités les nourritures qui n'avaient pas été offertes aux *orixás*. Elle se dirigea vers Justin, mais son ancien cavalier l'arrêta. Ils échangèrent quelques mots, puis elle secoua la tête. Quand elle rejoignit Justin, elle souriait, sans trace de la crise traversée.

— Tu es fière de toi ?

Natacha parut prise au dépourvu :

— De quoi parles-tu ?

— De ton simulacre de transe.

— Je ne sais pas si c'était une transe, mais ce n'était pas un simulacre.

— Vraiment?

— Ce n'est pas parce que tu es venu ici comme au théâtre que les autres doivent t'imiter.

Justin l'observa sans y croire :

— Tu espérais avoir une transe?

— J'espérais ressentir quelque chose, comprendre un peu ce qui pouvait se passer dans la tête des adeptes.

— Tout ce que tu as ressenti, c'est l'effet d'un mauvais alcool.

— Je savais que je ne viendrais qu'une fois, j'avais besoin de prendre un raccourci.

— Ton numéro de danse à deux, c'était aussi un raccourci?

— Si tu t'inquiètes de Dario, tu lui fais beaucoup d'honneur et à moi de la peine, Justin.

Comme il ne répondait pas, elle continua :

— Tu n'as jamais eu envie d'être un autre?

— Non.

— Tu te sens si bien en ta compagnie?

— Il y en a de pires.

— La mienne?

— Ce n'est pas ce que je voulais dire.

Natacha sourit avec malice :

— Tu es sûr de ne pas avoir déjà été un autre?

Aïda les interrompit. Ses doigts frôlèrent la joue de Natacha :

— Ça va mieux?

Justin la rassura:

— C'était juste un coup de chaleur.

Le sourire d'Aïda réussit à s'élargir encore:

— Il se passe beaucoup de phénomènes inexpliqués entre ces murs.

Une novice posa un plat d'*acarajés* sur la table à côté d'eux.

Natacha s'assit:

— J'ai une faim de loup.

Justin s'aperçut que lui aussi. Aïda leur souhaita un bon appétit et disparut. Ils mangèrent en silence. Quand ils quittèrent le *terreiro*, le bal se poursuivait dans la cour. Justin chercha Dario des yeux, mais ne le vit pas.

Manuel dormait dans le siège du conducteur. Natacha et Justin montèrent à l'arrière. Manuel reprit ses esprits et la route de Rio, puis bifurqua vers le pont Rio-Niterói qui enjambait la baie de Guanabara. Natacha quitta des yeux les eaux noires ceinturées de lumières et se retourna vers Justin:

— Tu m'as filmée avec ton cellulaire?

— Non. La postérité ne gardera pas trace de ta performance.

— Dommage. J'aurais aimé savoir à quoi je ressemble quand je ne suis plus là.

Ils atteignirent la rive nord de la baie. Manuel accéléra.

— Puisque ce n'était pas un simulacre, raconte-moi ce que tu as ressenti.

Natacha réfléchit :

— D'abord un vertige, la tête qui tourne, le mal de cœur, comme si j'avais trop bu, c'est vrai, puis, comme un rideau qui tombe. Le noir et le silence. Il n'y a plus rien, tu es seul et bien, la nuit ne t'effraie pas. Alors, une voix s'élève, masculine mais très douce. Tu n'en comprends pas un mot, mais tu sais qu'elle guérit tout, et tu as envie de ronronner comme un chat qu'on caresse.

Elle sourit :

— Mais tout ça, c'est à peine le souvenir qui te reste quand tu reviens à toi car, ce que j'ai fait ou dit, je n'en sais rien, je n'étais plus là.

Justin songea à son propre souvenir de coma, puis à la mère d'Edson, conduite à la folie par la conviction d'être possédée par Maria Padilha.

— Si tu crois vraiment qu'un *exu* a parlé par ta bouche, prends garde à toi.

— Il ne me suivra pas à Ottawa.

— S'il est dans ta tête, si. Méfie-toi.

— Tu sais de quoi tu parles.

C'était une affirmation, pas une question.

— Pourquoi dis-tu ça ?

— À cause d'une transe qui a très mal tourné sous tes yeux, même s'ils étaient peut-être fermés.

Justin fronça les sourcils :

— Edson t'a parlé ?

— Non, mais ton père a alerté son ministère, quand l'affaire s'est produite. Tout est dans son dossier.

— Ce n'est pas confidentiel?

— Je me suis invitée dans la confidence, ne demande pas comment.

— Qu'as-tu appris?

— Que, pour sauver Edson, tu avais sans doute poignardé le médium retrouvé mort dans la même pièce que vous.

— C'est faux.

— Le Ministère craignait pourtant que l'affaire mène à des charges contre toi. Des avocats avaient été contactés pour plaider la légitime défense ou, mieux, que tu avais agi en état de possession.

— Le couteau ne portait pas mes empreintes digitales.

— Je sais. Le Ministère pensait que les résultats de l'analyse avaient été manipulés pour classer l'affaire sans remous diplomatiques.

— Je n'ai pas tué *Mestre* Cobra.

— Mais tu ne te souviens de rien.

Natacha remonta ses jambes sur la banquette. Elle posa sa tête sur les genoux de Justin et s'endormit.

Chapitre 4

— Tu as mené une enquête sur moi ?

Natacha sourit :

— Je n'allais pas venir à Rio sans savoir ce qui m'attendait.

Ils étaient arrivés à Búzios au milieu de la nuit. Manuel avait un jeu des clés de la maison. Justin et Natacha avaient choisi deux chambres à l'étage et s'étaient couchés.

Quand le soleil entre les rideaux mal fermés avait réveillé Justin, il était presque onze heures. Le balcon de sa chambre donnait sur la mer. À gauche, sur le sien, Natacha prenait le soleil. Ils avaient fait le tour de la demeure. Ce n'était pas celle que Justin et François D. avaient louée deux fois. La *Villa das brisas* était plus grande, bien trop pour trois personnes. C'était une maison blanche aux arêtes vives et au toit en terrasse, avec de grandes baies vitrées, au milieu d'un vaste jardin planté de cocotiers. Un mur hérissé de barbelés la protégeait du monde.

Manuel avait fait les courses. Dans la cuisine, le réfrigérateur était garni. Natacha avait eu envie d'œufs brouillés, Justin s'était exécuté. Ils finissaient de les manger au bord de la piscine.

— Qui as-tu interrogé?

— Tes amis québécois.

— Ils ne t'auraient pas répondu.

— Tu es parti depuis longtemps et je suis persuasive.

— Dis-moi lesquels.

— Je leur ai promis l'anonymat. En échange, ils ne répondraient pas si tu leur posais des questions sur moi.

Justin s'expliqua le médiocre taux de retour à ses demandes d'information. Sa sœur aussi était restée muette.

— Tu connais Nadine?

— Nous montons à cheval dans le même club.

— Tu as aimé ce que tu as appris?

— Assez pour vouloir m'en rendre compte par moi-même. Tu n'as pas eu une vie banale jusqu'à présent, Justin. Ton accident, ton coma, sans être drôle, mais ça sort de l'ordinaire. La mort de *Mestre* Cobra aussi. J'étais curieuse de savoir si tu étais à la hauteur de tes expériences.

— Maintenant que tu t'es rendu compte?

Natacha fit la moue :

— Tu ressembles à la vue du Corcovado, je pense t'apprécier davantage, sans public.

— Tu penses aussi arrêter de jouer des rôles ?

— Quels rôles ?

— Je suis sûr que tu aimerais devenir actrice.

— Pas pour jouer la comédie aux gens. Peut-être pour me mettre dans le plus de peaux possible.

— Depuis ton arrivée, la jeune fille gâtée, la charmeuse, la méprisante, la copine, la douce, la provocante, ce ne sont pas des rôles ?

— Non.

— Tu changes juste de peau comme de chemise ?

— J'essaye de m'étonner, sinon je m'ennuie, mais je suis toujours sincère. Je me teste comme une voiture, je tente tous les réglages possibles. C'est moi que j'éprouve, pas les autres.

— Tu t'es surprise cette semaine ?

Les fossettes de Natacha se creusèrent :

— Jeudi, quand j'ai été odieuse avec toi, je me suis impressionnée.

— Tu me détestais pour de bon ?

— Tu n'imagines pas à quel point.

— Être toujours sincère et vouloir ne jamais être la même, ce n'est pas contradictoire ?

Natacha éclata de rire :

— Je n'en sais rien. Si c'est compliqué, tant mieux. J'aime ne pas tout comprendre.

Natacha s'allongea sur un transat et enfonça dans ses oreilles les écouteurs de son iPod. Une musique symphonique atteignit Justin. Ils passèrent l'après-midi à ne rien faire. Avoir Natacha pour lui seul suffisait à son bonheur.

Quand l'ombre des cocotiers s'étendit vers la mer, ils sortirent par la porte arrière du jardin marcher sur la plage, puis suivirent un sentier jusqu'à la marina d'Ossos. La foule des touristes les surprit. Ils continuèrent sur la promenade en bord de mer vers Armação dos Búzios. Il y avait autant de monde *rua das Pedras* qu'au sommet du Corcovado. Natacha insista pour la remonter. La rue du village était bordée de maisons coloniales transformées en boutiques de luxe. Justin crut reconnaître dans la mer humaine le visage de Dario, mais ce fut fugitif et le soleil se couchait face à lui. Il suivit sans plus y penser Natacha dans les magasins. Elle n'acheta rien, mais s'arrêta devant la vitrine d'un chocolatier belge. Une affichette annonçait une soirée à la *barraca* Formosa, sur la plage de Geribá.

— J'aimerais y aller.

Justin fit la moue :

— Tu ne préférerais pas une soirée tranquille et des grillades à la villa ?

— Des grillades à la villa, puis une soirée pas tranquille là-bas.

Natacha prit le bras de Justin avec son sourire le plus charmeur :

— C'est mon seul samedi à Búzios... Mais si tu ne veux pas venir, Manuel m'accompagnera.

Búzios formait une péninsule. La plage de Geribá était située à son extrémité sud. À l'arrivée de la Lexus, le stationnement de la *barraca* était presque plein. Manuel trouva une place, puis se prépara à une autre soirée d'attente. Natacha et Justin suivirent une galerie jusqu'à un grand patio, où un groupe de cinq musiciens jouait de la samba. Autour, des salles et des terrasses étaient disposées en étoile. Les danseurs restaient rares, la plupart des clients finissaient leur repas.

Une serveuse guida Natacha et Justin à une table sous une arcade avec vue sur les musiciens et la mer. Elle commanda une bière, lui un *guaraná*. Natacha sortit de la poche de son jean une plaquette de pastilles et en avala une.

— C'est quoi?

— Pour m'amuser davantage.

— C'est nécessaire?

— Vu la durée de mon séjour, oui.

— Tu en as pris hier?

— C'est sans importance.

Justin tourna ses regards vers la file d'attente à l'un des bars. Il crut d'abord à une simple ressemblance ou un effet d'optique, comme l'après-midi, mais l'homme se retourna. Il ne resta rien du bien-être de Justin. Sa voix vibra de colère:

— Tu lui as donné rendez-vous ici?

— À qui?

Justin pointa du doigt Dario. Natacha sembla tomber des nues:

— Je n'ai aucune idée de ce qu'il fait là.

Justin admira son aplomb.

— Tu lui avais dit que tu venais à Búzios?

— Pour qu'il comprenne que je ne pourrais pas le revoir à Rio.

Natacha se leva et marcha sur Dario. Il la reconnut avec un grand sourire. Ils échangèrent quelques phrases, puis Natacha revint vers Justin.

— Il est venu voir des amis. Il ne m'avait pas prévenue pour me surprendre si on se rencontrait.

— Tu le crois?

Natacha se pencha vers Justin et passa la main dans ses cheveux.

— Ne fais pas cette tête. Grâce à Dario, tu n'auras pas à danser avec moi, et tu n'es pas très doué pour ça. Imagine que je prends un cours de tennis avec un professeur, ce n'est rien de plus.

Natacha rejoignit Dario. Ils se dirigèrent vers la piste. Justin songea à tenir compagnie à Manuel, mais ne bougea pas: il découvrit que, même masochiste, regarder Natacha danser avec un autre constituait un plaisir.

Trois groupes de musiciens s'étaient succédé depuis leur arrivée. Justin était un des derniers clients assis. Tous les autres dansaient. Il avait depuis longtemps sommeil.

Natacha murmura à l'oreille de Dario, puis se dirigea vers les toilettes. À la surprise de Justin, le jeune Noir vint vers lui et montra son verre vide :

— Je peux t'offrir quelque chose ?

— Un autre *guaraná* si tu veux.

Dario revint avec la boisson de Justin et une *batida de coco*. Il s'assit face à lui :

— Tu vis à Rio ?

— Oui.

— Ton père travaille dans quoi ?

Justin n'aimait pas les interrogatoires :

— Il s'occupe d'une association.

Dario hocha la tête comme si c'était clair, et vida la moitié de sa *batida* :

— Et le père de Natacha ?

— Demande-le-lui. Je te dirais des bêtises, je ne le connais pas.

— Ton père est là ce soir ?

— Non. Nous sommes chez des amis.

— J'ai vu à la télévision des images du premier ministre canadien à São Paulo.

Justin acquiesça. La délégation y était arrivée la veille, pour la foire internationale, dont le Canada était l'invité d'honneur, et un sommet avec les pays du Mercosur. Elle y resterait jusqu'à son retour à Rio mardi.

— C'est là-bas que sont ton père et celui de Natacha ?

La tournure de la conversation déplaisait à Justin. Il prit son ton le plus suave:

— Hier tu étais à Duque de Caxias. Ce soir, tu es à Búzios. Tu nous suis?

Le jeune Noir sourit de bon cœur:

— J'allais te poser la même question à propos de toi et Natacha. Non, c'est une coïncidence. Moi aussi, je suis venu voir des amis.

Il consulta sa montre.

— Ils ne devraient pas tarder.

Dario vida la seconde moitié de son verre, puis se leva et serra la main de Justin. Justin le regarda s'éloigner, puis chercha Natacha des yeux. La piste était comble. Il se leva et fit le tour des danseurs sans la voir. Il avait envie de rentrer. Il partit à sa recherche dans les salles et sur les terrasses. Elle n'y était pas. Son tour le ramena dans le patio. Elle n'y était pas réapparue. Dario aussi s'était volatilisé.

Justin entendit son nom et se retourna. Manuel arrivait, l'air soucieux.

— Natacha est partie en voiture avec un homme.

— Quand?

— Il y a dix minutes. Ils quittaient le stationnement quand je les ai vus, je n'ai rien pu faire.

— Au volant, c'était un jeune Noir?

— Non. Un Blanc, brun, dans une vieille Mercedes décapotable.

— Ils sont partis dans quelle direction?

— Le nord.

Manuel et Justin coururent à la Lexus. Ils longèrent au ralenti le littoral vers le nord, inspectant chaque voiture arrêtée au bord de la route.

— J'ai reconnu le conducteur. Je l'avais vu hier devant le *terreiro*. Il était même venu me parler. Il disait que lui aussi attendait un ami.

— Tu pourrais le décrire un peu mieux?

Manuel fit la moue à la route:

— La trentaine, plutôt séduisant, les cheveux bouclés, des lèvres très rouges. Des bagues aux doigts.

Manuel et Justin sillonnèrent pendant deux heures la péninsule sans croiser de cabriolet Mercedes. La voiture pouvait être loin, à Rio peut-être. À leur retour à la villa, le téléphone de Justin sonna. Quand il vit le numéro de João, il faillit ne pas répondre.

— Tu n'es pas couché, Justin?

— Non.

— J'ai besoin de toi. Bota et Fogo sont tombés dans une embuscade, semble-t-il organisée par des membres de leur propre gang. Ils ont réussi à s'échapper. Bota m'a appelé. Je les héberge cette nuit au fort, mais mes parents rentrent tout à l'heure d'un mariage à Teresópolis. Dès qu'il fera jour, j'emmènerai Bota à Charitas, au Club naval, mais quelqu'un doit s'occuper de Fogo.

— Emmène-le aussi au Club naval.

— C'est impossible.

— Pourquoi?

— C'est compliqué. En plus, Bota et Fogo ont plus de chances de passer inaperçus l'un sans l'autre.

— Tu veux m'envoyer Fogo ?

— Tu me rendrais un grand service.

— Ça tombe très mal.

— Fogo ne vous gênera pas. Il restera enfermé dans une chambre et ne sortira pas de la maison. Personne ne doit savoir qu'il est là, tant que la situation ne sera pas éclaircie.

Justin se frotta les yeux, trop fatigué pour argumenter. Fogo était le dernier de ses soucis.

— Si tu insistes.

— Merci. La gare routière est sur le chemin de Charitas. Nous y déposerons Fogo et je t'enverrai un message texte avec le numéro de son bus et son heure d'arrivée à Búzios.

Justin se coucha. Il s'endormit comme une masse et se réveilla quatre heures plus tard avec la sensation de ne pas avoir fermé l'œil.

Le message de João était arrivé : Fogo débarquerait à neuf heures cinq à la gare routière de Búzios.

Dehors, il faisait très beau. Justin sortit sur la plage. Il avait mal au crâne. Le ciel était encore rose. Un homme promenait son chien et le salua. Justin s'assit sur le sable.

La disparition de Natacha ressemblait plus à une fugue qu'à un enlèvement. C'était plus humiliant, mais moins inquiétant. Elle réapparaîtrait sans doute, aussi souriante et satisfaite qu'après sa transe, et le gronderait de s'être inquiété pour rien : elle avait été invitée pour un verre à l'improviste. Puis, comme son conducteur avait un peu trop bu, elle avait jugé sage de dormir sur place.

Justin attendit huit heures, immobile face à la mer, puis appela Edson et aboutit sans surprise à sa boîte vocale. Après une hésitation, il composa le numéro de la ligne fixe de la maison. Edson Ribeiro Neto décrocha.

— Excusez-moi de vous déranger si tôt.

— Ce n'est rien, Justin. Je préparais le *café da manhã* des filles. Tu veux parler à Edson ?

— Si c'est possible.

— Il dort sûrement. Tu veux que je le réveille ?

— Ça ne vous dérange pas ?

— Au contraire.

Justin attendit longtemps la voix d'Edson.

— J'espère que tu as une bonne raison de m'appeler à cette heure.

— Natacha a disparu.

— Qu'est-ce qui s'est passé ?

Justin l'expliqua en trois phrases.

— Cet homme à Lapa, il ressemblait à quoi ?

— Je te l'ai dit. À peu près trente ans, brun, beau garçon et antipathique.

— Cheveux bouclés, lèvres écarlates ?

— Peut-être, je ne me rappelle pas, surtout au saut du lit.

— Fais un effort. Des bagues aux doigts?

— Oui.

— Rejoins-moi à Búzios. Tout de suite.

— Tu te prends pour qui, Justinho? Je ne suis pas ton larbin et c'est le dimanche de Pâques. J'ai rendez-vous au Flamengo pour un tournoi de *futebol* à cinq et, cet après-midi, je vais au Maracanã.

— Et moi, je viens de faire le 199Edson et je te demande de rappliquer le plus vite possible, *fenomeninho*.

— Le 199Edson est en dérangement. Essaye le 199João.

— Pour ta gouverne, João a composé le 199Justin cette nuit.

— C'est quoi cette autre histoire?

— Je te le dirai à la gare routière de Búzios.

— Je ne viendrai pas à Búzios aujourd'hui. Demain, peut-être.

— Tu te souviens, Edson, du pacte d'amitié que tu nous a forcés à signer? Tu l'as rédigé, alors relis-le et, si tu ne sautes pas dans le premier bus pour Búzios, déchire-le.

Edson coupa la communication sur une injure. Justin retourna à la villa. Manuel buvait un café dans la cuisine. Justin le mit au courant de l'arrivée de Fogo. Manuel accueillit la nouvelle avec une moue; lui non plus n'aimait pas le *rapaz*.

— Je resterai ici pendant que tu iras le chercher. Au cas où Natacha reviendrait.

Manuel acquiesça et se versa une seconde tasse de café.

Un bip signala l'arrivée d'un message texte sur le téléphone de Justin : « Je t'appelle dix minutes avant d'arriver à Búzios. Edson. »

Manuel partit pour la gare routière. À son retour, il fit entrer la Lexus dans l'enceinte de la villa. Fogo apparut, des écouteurs dans les oreilles. Justin était assis au bord de la piscine. Fogo lui adressa un signe de sa grosse tête. Justin répondit de la main. Le *rapaz* ne semblait ni moins ni plus normal que d'habitude. Manuel l'emmena dans la maison. Justin adressa un message texte à João pour lui confirmer la bonne arrivée de Fogo ; il ne mentionna pas la disparition de Natacha, cela n'aurait servi à rien.

Manuel revint s'asseoir à côté de Justin :

— Je lui ai donné la dernière chambre. Il s'est couché.

— Il t'a raconté quelque chose ?

— D'après lui, quand il est rentré avec Bota dans leur cabane de la *favela* de São Conrado, deux hommes les attendaient. Des foulards cachaient leurs visages, l'un tenait un revolver. Il leur a annoncé que le gang les avait condamnés, ils savaient pourquoi. Bota a tenté de discuter, l'homme au revolver l'a mis en joue. Il a pressé sur la détente, mais l'arme s'est enrayée. Bota et Fogo ont pris la fuite, les deux hommes les ont pourchassés. Ils ont dégringolé jusqu'au pied de la *favela* et ont escaladé le mur de l'autoroute. Ils l'ont traversée en courant, leurs poursuivants sont restés au bord de la chaussée. De l'autre côté, Bota et Fogo ont sauté dans un minibus.

— Tu le crois?

— Il serait incapable d'inventer ça et il avait l'air secoué.

Justin songea aux menaces d'Evaldo envers les deux *rapazes*. Manuel le tira de ses pensées :

— Sur le chemin de la gare routière, j'ai fait un détour par la *barraca* Formosa. J'ai interrogé les employés du stationnement. Ce n'était pas la première fois qu'ils voyaient la décapotable, mais ils ne connaissent pas son propriétaire. J'ai tenté de me renseigner dans les garages, mais ils sont fermés aujourd'hui.

Manuel secoua la tête, l'air abattu.

— Tu as prévenu ton père?

— Pas pour l'instant.

— Il ne me pardonnera jamais, je devais veiller sur vous.

Justin ne trouva rien à répondre. Manuel se leva et astiqua en pénitence les chromes de la Lexus. Justin resta seul à la table. Il se sentait incapable d'initiative. Il s'attendait à ce que Natacha donne signe de vie. Si elle ne l'avait pas déjà fait, c'était peut-être parce que son escapade n'avait pas tourné comme elle l'espérait.

Justin entendit la sonnerie de son téléphone et ouvrit les yeux. Il s'était endormi. Il reconnut avec surprise la voix d'Evaldo.

— Bonjour, Justin. Devine quoi : moi aussi, je suis à Búzios. En fait, j'arrive juste. Je n'ai pas encore eu droit à mon *café da manhã*. Je voulais te proposer de le partager avec moi.

— J'aimerais beaucoup, mais je ne peux pas vraiment m'absenter en ce moment.

— Tu attends quelqu'un ?

— J'ai un petit problème.

— Mange un morceau avec moi. Ça te changera les idées et tu me raconteras ton problème. J'essaierai de t'aider. Moi aussi, j'en ai un. C'est peut-être le même.

Justin n'avait rien mangé depuis la veille au soir. Si Natacha réapparaissait, Manuel serait là. Il n'avait pas à l'attendre comme un chien triste le retour de son maître. Il sourit au téléphone.

— C'est bon, Evaldo, j'accepte. Je te retrouve où ?

— Je suis en voiture. Donne ton adresse et je passe te prendre.

Justin ne la connaissait pas par cœur. Le temps de la demander à Manuel, il prit conscience de la séquence des événements : les menaces d'Evaldo contre Bota et Fogo ; la fuite de Fogo jusqu'à Búzios ; l'arrivée d'Evaldo.

— Ça me fera du bien de marcher.

Justin entendit un rire :

— Comme tu voudras. Que dirais-tu du café Fabiano sur la *orla* d'Ossos, en face de la marina. Tu vois où c'est ?

— À peu près.

— Ce n'est pas trop loin pour toi ?

Justin calcula qu'il y serait en vingt minutes.

— Donne-moi une demi-heure.

Evaldo était attablé en terrasse, quand Justin arriva. Il se leva et lui administra un vigoureux *abraço*. Justin s'assit à côté de lui pour profiter de la vue sur la marina et la mer.

— Superbe, non?

Justin acquiesça, surpris de son plaisir à revoir Evaldo.

— Ça change du panorama de ma cellule.

Evaldo le dit avec bonne humeur. Il portait le même costume qu'au dîner chez Márcia, avec un teeshirt blanc et, sur la tête, un panama aussi resplendissant que le temps. Justin se demanda si c'était par goût vestimentaire ou ambition d'imiter leur carrière qu'il s'habillait comme les vieux *malandros* cariocas. Evaldo posa le chapeau sur la table:

— C'est un cadeau de Lucia. Il te plaît?

— Ça donne un genre.

Evaldo rit:

— Pas un mauvais, j'espère. C'est un peu ton cadeau aussi. Sans toi, Lucia n'aurait jamais eu son travail.

La terrasse était remplie de couples élégants, brésiliens et étrangers. Evaldo mangeait des crêpes au chocolat et une salade de fruits frais. Justin commanda des *pães de queijo* et de la confiture. Les prix de la carte prouvaient la vogue de l'établissement.

Evaldo semblait jouir sans retenue de sa liberté retrouvée.

— J'espère que Natacha m'excusera de la priver de ta compagnie.

Justin l'interrogea du regard. Evaldo expliqua :

— Xuxa me l'a présentée durant sa visite de la *favela*. Elle était impatiente de voir Búzios. Tout se passe bien ?

Justin avait envie de se vider le cœur et Evaldo aurait peut-être une idée. Il raconta la disparition de Natacha. Evaldo l'écouta avec un air de sincère préoccupation.

— Tiens-moi au courant si elle ne réapparaît pas vite. Je me renseignerai.

Evaldo finit ses crêpes. Il s'essuya la bouche et sourit à nouveau.

— À mon tour de raconter mon problème. Tu te rappelles notre conversation à la *lanchonete* après le dîner chez Márcia ?

Justin hocha la tête.

— Le lendemain, quand j'ai rencontré l'Indien, je lui ai répété ce que je t'avais dit sur Bota et Fogo. Il m'a écouté, puis m'a répondu que tout devenait clair : Bota avait joué le même jeu avec lui, il l'avait mis en garde contre moi, car je voulais sa place, puis lui avait révélé mes problèmes de drogue et d'argent. Le jour où j'ai failli le tuer, c'est même Bota qui a indiqué à l'Indien où me trouver. Il était d'accord avec moi : Bota et Fogo devaient payer. Il a parlé aux patrons du gang de São Conrado, qui ont envoyé deux hommes chez Bota et Fogo pour leur donner une bonne leçon. Mais Bota et Fogo ont fui avant de la recevoir. Maintenant, il faut les retrouver. Je ne suis pas ici juste pour le plaisir.

Justin sentit le regard d'Evaldo sur lui. Il tartina avec soin son *pão de queijo*.

— Je ne te demande pas l'adresse de ta villa, Justin, et encore moins si Fogo s'y cache. À ta place, je ne répondrais pas et je t'ai invité ici pour ta compagnie, pas pour te tirer les vers du nez. Mais je ne veux pas non plus que tu te retrouves dans une mauvaise situation malgré toi. Les patrons du gang de São Conrado connaissent l'amitié de Bota avec le fils du commandant du fort de Copacabana, João. C'est une des raisons de leur méfiance envers lui. Il semble que Bota et Fogo ont cherché refuge auprès de João ; il semble aussi que João a depuis emmené Bota à Charitas, au Club naval. Quant à Fogo, pour sa malchance, sa tête se remarque. Il aurait été vu ce matin à la gare routière de Rio ; selon certains, dans un bus en partance pour Búzios. Or João est aussi ton ami et tu es à Búzios... L'Indien s'occupe de Bota mais ne pourra pas intervenir tant qu'il est au Club naval. J'ai été chargé de retrouver Fogo.

— Par qui ?

— Mes anciens patrons.

— Je croyais que tu ne voulais pas recommencer les bêtises ?

— C'est vrai, donc je dois réussir cette mission. C'est le seul moyen de remettre les compteurs à zéro avec mon ancien gang. Après, je serai libre.

La note arriva. Evaldo refusa de la partager :

— Tu es mon invité. Je suis ici pour le travail, mes frais sont payés.

Ils se levèrent. Le téléphone de Justin sonna, c'était Edson :

— Mon bus arrive dans cinq minutes.

Evaldo regarda Justin :

— Des nouvelles de Natacha ?

— Non, je dois récupérer un ami à la gare routière.

— Pas Fogo, j'espère ?

Justin sourit malgré lui et secoua la tête.

— Je suis en voiture, je t'emmène ?

Justin imaginait l'humeur d'Edson s'il était en retard. Il accepta et suivit Evaldo vers une Passat blanche garée en bordure du trottoir. Deux hommes étaient assis à l'avant. Evaldo avertit Justin :

— Ce sont deux crétins, mais les gens de São Conrado leur font confiance. Ne parle pas devant eux.

Ils montèrent à l'arrière. Les deux sbires avaient l'air bêtes et méchants, Justin se demanda si un foulard sur le visage les rendrait plus sympathiques.

La gare routière de Búzios était un simple arrêt. La Passat y arriva en même temps que le bus d'Edson. Justin lui présenta Evaldo. Ils se serrèrent la main, puis Evaldo se tourna vers Justin :

— Inutile de proposer de vous raccompagner ?

Justin acquiesça. Il attendit le départ de la Passat, puis prit un taxi avec Edson.

— Que fait Evaldo ici ?

Justin expliqua la situation de Bota et Fogo. Edson sifflota :

— João t'a mis dans de beaux draps. Que comptes-tu faire?

— Rien. La villa est louée jusqu'à mardi. Après, Fogo se débrouillera sans moi.

Justin avait donné une fausse adresse au chauffeur. Ils finirent à pied. Edson bougonna. Justin porta son sac dans la rue sableuse jusqu'à la *Villa das brisas*. Ils entrèrent par le portail principal. De l'autre côté du mur, la Lexus brillait comme un sou neuf. Manuel broyait du noir devant la télévision. Pour le plaisir de tous, Fogo demeurait invisible.

Justin précéda Edson à l'étage. Ils partageraient la même chambre.

— Tu ne m'avais pas dit que je devrais cohabiter avec toi.

— Si tu préfères, un lit est libre dans la chambre de Fogo.

Par chance, le balcon plut à Edson, le reste de la maison et le jardin aussi. Il s'assit sous le parasol au bord de la piscine. Justin lui apporta un jus de *maracujá*.

— Même si Natacha sonne à la porte dans une minute, je ne rentre pas à Rio avant mardi. Tu m'as voulu, tu m'as.

Edson goûta le jus de fruits.

— Tout à l'heure, quand il est venu me réveiller, mon père a croisé Bia qui sortait de ma chambre.

— Dans quelle tenue?

— Décente. Un peu surpris, il a demandé ce qu'elle

faisait. Elle a raconté qu'elle m'avait rapporté un livre et, comme je dormais, l'avait laissé sur la table de nuit. Elle l'a hurlé assez fort pour me réveiller, mais quand mon père est entré, il n'y avait rien sur ma table de nuit, à part le numéro spécial de *Onda brasileira* sur les vingt plus belles surfeuses du monde.

— Ton père soupçonnera encore moins Bia de te visiter dans ton lit.

Edson n'avait pas envisagé l'incident sous cet angle. Il se détendit un peu plus dans son fauteuil :

— Je ne comprends toujours pas pourquoi je suis ici. Te tenir la main sous les cocotiers en attendant le retour de Natacha ?

— M'aider à retrouver l'homme qui l'a emmenée. Tu l'as vu, moi pas.

— Si c'est le même homme. Bagues aux doigts ou pas, les beaux bruns antipathiques, ça ne manque pas dans les bars brésiliens.

Justin alla chercher Manuel. Lui et Edson comparèrent leurs souvenirs. La similarité de leurs descriptions les convainquit qu'ils parlaient du même individu. Manuel retourna somnoler sur le divan du salon. Edson finit son jus de *maracujá* :

— Ce n'est pas un enlèvement. L'homme n'aurait pas opéré à visage découvert, encore moins avec la complicité d'une Mercedes peut-être unique dans l'État de Rio. Donc, le mieux à faire, c'est rien. Natacha reviendra toute seule.

— Je le croyais ce matin, mais Natacha n'a pas donné signe de vie, alors essayons de la retrouver.

— Ils sont peut-être loin.

— C'est Natacha qui a demandé à venir à Búzios. Elle et le type avaient sans doute prévu s'y rencontrer, car il habite dans la région. À Lapa, tu n'as pas repéré un deuxième homme ?

— Pourquoi ?

Justin parla de Dario :

— Vendredi soir, il danse avec Natacha, le brun attend dehors. Samedi soir, il réapparaît, danse avec Natacha, elle part avec le brun. Ça fait trop de coïncidences.

— Ou Natacha a juste beaucoup de succès au Brésil. Pourquoi travailleraient-ils à deux ?

— Trois raisons. Posséder une solution de rechange si le brun avait moins séduit Natacha qu'il le pensait. Vendredi, vérifier que nous allions bien toujours à Búzios. Hier, détourner mon attention tandis que Natacha partait avec le brun.

Edson bâilla :

— Raffi est sûrement ici et les banquiers sont les pires commères. Je peux l'appeler. Si l'homme à la Mercedes habite dans les parages, Raffi en aura entendu parler.

Justin approuva. Raffi était bien à Búzios, comme presque toutes les fins de semaine. Il les invita à la maison de son père, sur la plage de Rasa.

Edson refermait son téléphone quand Manuel émergea de la maison avec Fogo :

— Il demande s'il peut sortir dans le jardin.

Justin haussa les épaules :

— Le mur est assez élevé pour que personne ne regarde par-dessus ; à lui de décider.

Fogo s'installa sur un transat et remit ses écouteurs sur ses oreilles.

Justin se tourna vers Edson :

— C'est où, Rasa ?

— Plus haut sur la côte, en dehors de la péninsule.

— Manuel nous y emmène et on laisse Fogo, ou on prend un taxi et Manuel reste avec Fogo ?

— Ce n'est pas parce que João t'a envoyé ce *rapaz* dans les pattes que toi ou Manuel devez jouer les nourrices jusqu'à mardi. S'il est trop crétin pour n'ouvrir la porte à personne, tant pis pour lui.

— Si c'est Natacha derrière la porte ?

Edson sourit :

— Elle attendra. Chacun son tour.

Ils prirent la route de Rasa. Le téléphone de Justin sonna. C'était François D. :

— Tout va bien ?

Justin bredouilla :

— Il fait beau, la villa est grande, il y a une piscine.

— Parfait. Le père de Natacha est à côté de moi. Il voudrait lui dire bonjour. Passe-la-moi.

— Je ne peux pas.

François D. parut interloqué :

— Pourquoi ?

— Je fais les courses avec Manuel. Natacha est à la villa avec Edson.

— Il est venu finalement ?

— Oui, il a changé d'avis. Il est arrivé à midi.

— Il a eu raison. À ton retour, demande à Natacha de donner des nouvelles à son père.

— Je lui dis d'appeler ton numéro ?

— Oui, Luc et moi ne nous quittons plus.

Justin coupa la communication avec une grimace assez éloquente pour qu'Edson ne dise pas un mot.

Búzios était réservé aux Brésiliens aisés, Rasa aux très riches. Les villas étaient encore plus grandes, pas toujours belles. Avec ses pierres apparentes, son toit de tuiles rondes et ses volets bleu ciel, la résidence de la famille Kavafian singeait de manière incongrue un mas provençal.

Justin proposa à Manuel de venir avec eux. Il préféra poser des questions dans les *barracas* de la plage.

Raffi reçut Edson et Justin sous une pergola. Il grignotait des olives et sirotait un vin rosé. Une djellaba blanche enveloppait son corps énorme.

— Quel bon vent vous amène ?

Justin laissa à Edson le soin de l'expliquer. Raffi l'écouta, puis soupira :

— Tu ne m'aides pas beaucoup Edson. Des beaux bruns, j'en vois déjà trois autour de cette table.

— Mais nous ne sommes pas antipathiques, nous n'avons pas trente ans, des cheveux bouclés, des bagues aux doigts.

— Les bagues aux doigts, ça s'enlève, et l'antipathie, c'est une question de goût. Donne-moi davantage, Edson.

— Il y aurait peut-être avec lui un Noir appelé Dario.

— Ça ne me dit rien. Quoi d'autre ?

Edson sourit, Raffi était passionné d'automobile :

— Il conduirait une vieille décapotable Mercedes.

— Ça change tout ! Si c'est une Mercedes 350 sel vert métallisé de 1973, vous êtes à la recherche de Raul Gorgias.

Justin se redressa sur sa chaise :

— C'est une bonne ou une mauvaise nouvelle ?

Raffi recracha un noyau d'olive :

— Bonne, car il n'est pas porté sur la violence physique. Mauvaise, car c'est une crapule.

Il but une gorgée de vin, puis élabora :

— Il y a environ dix ans, il est entré comme chauffeur au service d'une veuve aussi âgée que fortunée. Je suis au courant, car c'était une cliente de mon père et elle habitait près d'ici. Elle est tombée sous son influence et il est devenu son homme de confiance. À sa mort, elle lui a légué tout ce qu'il n'avait pas encore dilapidé. Des neveux ont sans succès contesté le testament en justice. Ce qui restait de la fortune est depuis parti en fumée, sauf la maison, mais elle croule sous les hypothèques, et la voiture, mais c'est une honte de ne pas mieux l'entretenir. L'an dernier, Raul est venu me voir à la banque pour un prêt, je lui ai proposé plutôt de me vendre sa voiture afin que je lui offre une seconde jeunesse, il a refusé.

Les personnes capables de vivre en apparence très bien et très au-dessus de leurs moyens fascinaient Edson :

— S'il a dépensé tout l'argent de la veuve, comment s'en sort-il ?

— Avec des dettes sans doute, la banque Ka-Rio n'est pas le seul prêteur de la place.

Raffi sourit :

— Et peut-être de ses charmes. Je l'ai croisé quelques fois *rua das Pedras* au bras de vieilles étrangères. D'après les rumeurs, il les racolerait à Rio et elles rémunéreraient très bien ses services.

Justin échangea un regard avec Edson : ça ne collait pas ; il interrogea Raffi :

— Tu es sûr que nous parlons de la bonne Mercedes et de la bonne personne ?

— Certain.

— Mais Natacha n'est ni vieille, ni fortunée.

Raffi opina :

— Donc il doit avoir une autre combine en tête.

— Ou ce n'est pas lui.

— C'est lui, Justin. J'ignore son nom, mais un Noir lui sert bien d'homme à tout faire.

Edson jeta un coup d'œil à Justin :

— Allons sur place en avoir le cœur net.

Il se retourna vers Raffi :

— Tu connais l'adresse de la maison ?

— Je peux la trouver. C'est à moins de dix minutes en voiture.

Le téléphone de Justin sonna avant que Raffi se soulève de son siège. La voix de Natacha était piteuse :

— Justin, tu peux venir me chercher s'il te plaît ?

— Où es-tu ?

Natacha indiqua l'adresse. Justin la répéta. Raffi hocha la tête.

Chapitre 5

Manuel arrêta la Lexus devant le portail en fer forgé. Justin et Edson descendirent. Manuel se plaça derrière eux. Justin appuya sur la sonnette installée sous la boîte à lettres au nom de Raul Gorgias. Un carillon assourdi leur parvint. Une meurtrière s'ouvrit dans le portail. Un œil les observa, puis le battant de droite tourna sur ses gonds. Dario apparut, il sourit à Justin. Derrière lui, une allée de petits pavés conduisait à une villa à la peinture jaune écaillée. Sa porte était ouverte. Un homme s'y tenait, bras croisés, l'épaule appuyée au chambranle. Il arborait le même sourire goguenard que Dario. Justin le regarda, les descriptions d'Edson et de Manuel avaient été fidèles.

Natacha émergea de la maison et passa devant Raul Gorgias sans lui adresser un regard. Elle avança dans l'allée, les yeux baissés. Elle ne les leva pas sur Dario, ni davantage sur Justin, Edson ou Manuel. Elle franchit le portail et marcha vers la Lexus. Elle s'installa à l'avant. Le portail se referma sur le sourire de Dario. Aucun mot n'avait été prononcé.

Manuel reprit le volant. Edson et Justin montèrent à l'arrière. Ils regagnèrent en silence la *Villa das brisas*. Manuel gara la Lexus dans le jardin. Natacha disparut dans la maison. Allongé sur un transat, Fogo la suivit des yeux avec curiosité.

Justin s'assit à la table au bord de la piscine, comme un chien de retour à sa niche. L'ombre avait envahi le jardin. Il ferma le parasol. Les palmes des cocotiers bruissaient sous la brise. Fogo s'approcha et désigna la maison du doigt.

— C'était qui ?

Justin comprit qu'il parlait de Natacha.

— Une amie.

— Elle a des problèmes aussi ?

Justin sourit malgré lui :

— Oui, mais pas comme toi.

Il s'en voulut de ne pas avoir dit un mot à Fogo à son arrivée :

— Tu ne t'ennuies pas trop ?

Le *rapaz* fit de ses yeux ronds le tour du jardin, de la piscine et de la maison, comme de l'antichambre du paradis terrestre.

— Non, mais je ne voulais pas venir, j'avais peur que tu ne veuilles pas de moi.

— Pourquoi ?

— Je sais que tu ne m'aimes pas beaucoup.

Il ajouta vite :

— Si tu m'avais menacé avec un couteau, je ne t'aimerais pas non plus.

— Pourquoi n'es-tu pas allé à Charitas, avec Bota et João ?

Fogo eut un sourire un peu triste :

— Ils ne voulaient pas, je les aurais gênés.

— Pourquoi ?

— João pense que je suis un bon à rien et que Bota est mieux que tout.

— Tu sais, si les hommes étaient masqués, à mon avis, c'était juste pour vous effrayer.

— Tu crois ?

— Si tu voulais tuer quelqu'un, pourquoi craindrais-tu qu'il te reconnaisse ?

Fogo plissa le front :

— Pas lui, mais que quelqu'un d'autre le fasse.

— Chez vous, les deux hommes ne pouvaient croiser que toi et Bota.

Fogo réfléchit à nouveau, puis se dirigea, rasséréné, vers la maison. Edson rejoignit Justin avec une bouteille de bière.

— Natacha s'est enfermée dans sa chambre. Elle pleure.

— Ça la détendra.

— Imite-la.

Edson désigna de la tête les mains de Justin, crispées sur les bras de sa chaise. Justin les desserra. Edson but une gorgée au goulot.

— Le pire est passé.

Justin ne se sentait pas tiré d'affaire, au mieux en rémission.

— Je n'en suis pas sûr.

— Pourquoi?

— À cause du sourire de Dario et Gorgias.

— J'aurais aimé l'effacer de leurs visages, mais c'était juste le bonheur d'avoir humilié Natacha.

— Si Raffi a raison, Gorgias n'est pas excité par l'humiliation mais l'argent. Il n'aura pas séduit Natacha juste pour le plaisir de lui donner une leçon. Il ne l'a pas choisie au hasard.

— Elle aurait été assez bête pour révéler qui elle est?

— Elle a pu s'en vanter pour se rendre intéressante. Une fille de ministre, c'est chic. Même si elle n'a rien dit, Gorgias et Dario ont pu l'apprendre au prix de quelques vérifications. Hier soir, Dario essayait de me tirer les vers du nez sur mon père et celui de Natacha.

Manuel sortit de la maison et marcha vers eux:

— Natacha voudrait parler à Edson.

Justin resta seul avec la bière d'Edson. Son téléphone sonna au bout de dix minutes. Il fut tenté de le jeter par-dessus le mur, comme s'il eût suffi d'éliminer le messager pour éliminer les mauvaises nouvelles. Justin reconnut le numéro d'où Natacha l'avait appelé deux heures plus tôt et, il en était presque certain, à Rio, pour lui annoncer son désir soudain de connaître Búzios.

— Justin Deslauriers? Raul Gorgias. C'est chez moi que vous avez trouvé votre amie tout à l'heure.

La voix s'accordait au personnage: veloutée et sournoise.

— J'ai des images de Natacha en ma compagnie et celle de mon ami Dario, Je pense qu'elle aimerait les obtenir.

Justin attendit la suite. Il pensait la connaître déjà.

— Et que personne d'autre ne les voie. Cela a un prix.

Raul Gorgias le cita: trente-cinq mille reais, vingt mille dollars canadiens. Justin ne dit toujours rien. La banalité du chantage le rassurait à sa manière. Raul Gorgias était bien un escroc, pas un psychopathe.

— Que pensez-vous de ma proposition?

— Comment êtes-vous arrivé à cette somme?

— C'est très simple. Un acheteur est prêt à la débourser pour l'exclusivité des photos et vidéos en ma possession. Votre amie n'est pas n'importe qui.

— Si vous avez un acquéreur, pourquoi m'appelez-vous?

— Natacha est une jeune fille étourdie mais sympathique. Si ces images circulent, elle en souffrira.

— Puisque vous vous inquiétez pour Natacha, détruisez vos photos et vos vidéos.

— Natacha a commis une erreur. Il faut que les erreurs aient un prix, sinon on les recommence.

— Si Natacha acceptait votre prix, vous demande-riez à votre acheteur initial d'augmenter le sien.

— Il n'y aura pas d'enchères.

— Car vous n'avez pas d'autre acheteur ?

— Ne vous inquiétez pas pour moi.

— Si vous divulguez ces images, les conséquences seront pires pour vous que pour Natacha.

Un ricanement sec claqua à l'oreille de Justin :

— Au contraire, j'y apparais très à mon avantage.

— Vous aurez du mal à convaincre que Natacha était consentante.

— Les employés de la *barraca* témoigneront qu'elle m'a suivi de son plein gré.

— Elle avait le droit de changer d'avis après.

— Les photos et les vidéos prouvent qu'elle n'en avait nulle envie et s'amusait beaucoup. J'ai aussi conservé nos échanges de courriels ; c'est elle qui me courait après, pas le contraire.

— Votre prévoyance prouve que vous aviez prémé-dité de l'attirer chez vous.

— Ma prévoyance démontre juste ma prudence. Vous ne savez jamais à qui vous avez affaire sur Internet.

— Natacha a aussi donné son accord à vos photos et vos vidéos ?

— Mon avocat a passé au peigne fin toutes les images avant que je vous appelle. Quelques photos et une vidéo lui semblaient contestables. Je les ai éliminées.

— Si les autres ne portent pas atteinte à la vie privée de Natacha, leur diffusion n'a aucune raison de la gêner.

Raul Gorgias ricana à nouveau :

— Quelle vie privée ? Le père de Natacha est ministre, elle l'accompagne durant un voyage officiel, son comportement est d'intérêt public.

— Natacha est en vacances, sinon elle serait aujourd'hui à São Paulo, comme son père.

— Elle est en vacances, mais confiée au fils du consul du Canada à Rio... Tentez votre chance en justice si vous le souhaitez. Les photos circuleront encore davantage. Ce n'est pas dans l'intérêt de Natacha. J'attends votre réponse avant demain seize heures. Et je vous envoie sur-le-champ des échantillons. Après les avoir vus, vous jugerez mon prix très raisonnable.

Justin referma son téléphone. La conversation l'avait revigoré. Il en tirait la fierté, risible même à ses yeux, d'avoir tenu tête à son adversaire. Elle ne changeait rien à son impuissance. Face à lui, le bleu du ciel s'assombrissait. Il noyait ses pensées dans sa contemplation, quand Edson se rassit face à lui.

— Natacha avait fini de pleurer et envie de parler. Elle m'a tout raconté.

— Tu l'as crue ?

Edson regarda Justin avec reproche :

— Ce n'est pas le moment de régler tes comptes. Elle n'est pas en état de se défendre. Elle m'a appelé parce qu'elle n'ose pas te parler. Elle s'inquiète de ce que tu penses d'elle.

— Que lui as-tu dit?

— Que, pour l'instant, tu n'en pensais pas beaucoup de bien.

— Qu'a-t-elle répondu?

— Elle a hoché la tête, puis commencé son histoire. Elle aurait connu Gorgias sur Internet: Ifyougotorio.com. C'est un site d'informations touristiques, doublé d'un forum. Les futurs visiteurs sont mis en contact avec des Cariocas qui les renseignent sur la ville et parfois proposent de les guider durant leur séjour.

— Elle a fréquenté le site sous quelle identité?

— D'après elle, un alias. Après quelques courriels, Gorgias et elle ont décidé de se rencontrer à Rio. À leur premier rendez-vous, elle l'a trouvé agréable, elle a eu envie de le revoir, d'où la présence de Gorgias le lendemain à Lapa et la demande de Natacha de venir à Búzios.

— Elle t'a parlé de Dario?

— Pour elle, Dario était juste un bon danseur croisé dans un *terreiro* et assez envoûté par ses charmes pour la suivre jusqu'à Búzios.

— Elle ne connaissait pas sa relation avec Gorgias?

Edson secoua la tête:

— Pas avant que Gorgias arrête sa voiture devant la *barraca* et que Dario monte.

— Elle ne s'est pas inquiétée?

— Ils ont dit qu'ils avaient voulu lui faire une surprise.

— Gorgias, plus Dario, elle pensait séduire tout le Brésil. Plus on est de fous, plus on rit?

— Garde tes sarcasmes pour un autre jour.

Justin n'y pouvait rien. Il avait écouté sans colère le chantage de Gorgias, car il était dans sa nature, mais le mélange d'inconscience et de vice manifesté par Natacha le mettait hors de lui.

— Oublions Dario. Elle avait combiné avec Gorgias de se retrouver à la *barraca* pour qu'il l'emmène chez lui?

Edson acquiesça à contrecœur.

— Elle pensait qu'il s'y passerait quoi?

— Dans son esprit, si la situation se détériorait, elle t'appellerait et tu la tirerais d'affaire avec Manuel.

— Je servirais encore de roue de secours.

— Ou de sauveteur, c'est plutôt flatteur. À la villa, Gorgias a mis de la musique, ils ont bu quelques verres et dansé à trois. C'était très plaisant, puis Natacha aurait peu à peu perdu les pédales et, quand elle avait voulu t'appeler, elle en était incapable. Ensuite, elle ne se souvient de rien, elle pense qu'ils l'ont droguée.

Justin soupira:

— Ce n'était pas nécessaire, elle l'était déjà.

Justin révéla à Edson la pastille croquée par Natacha à la *barraca* pour s'amuser davantage:

— J'ignore si elle en a pris d'autres. L'alcool par dessus n'aura pas amélioré son sens des réalités.

— Ça ne prouve pas qu'ils ne l'ont pas droguée.

— À sa sortie de la maison, elle avait moins une tête à souffrir d'amnésie que de souvenirs trop précis.

Edson ne dit rien. Il reprit sa bière, mais elle était tiède. Justin se rappela l'appel de François D. :

— Elle a parlé à son père ?

— Je le lui ai demandé mais elle ne voulait pas. À sa voix, il se serait douté de quelque chose.

— Si elle ne donne pas de nouvelles, il soupçonnera un problème.

— Envoie un message texte de la part de Natacha à ton père.

— Quel genre ?

— Le genre qui n'engage à rien : merci de dire à mon père que tout va bien, je l'embrasse et l'appelle demain sans faute.

Le sens pratique d'Edson étonnait parfois Justin. Il lui aurait fallu des heures pour aboutir à un texte identique. Il l'envoya sans changer une lettre, puis reporta son attention sur Edson :

— Gorgias m'a appelé.

Il raconta la proposition du gigolo. Edson l'écouta sans l'interrompre, puis posa la question inévitable.

— À ton avis, il bluffe ?

— Je n'en ai aucune idée.

Justin alluma son téléphone. Les échantillons étaient arrivés : trois photos et une vidéo.

— Tu vas les regarder ?

Justin secoua la tête :

— Non.

— Pourquoi ?

— Ça ne me concerne pas. Et toi non plus.

— Peut-être qu'il n'y a rien de pire que Natacha dansant soûle sur une table.

— Quoi qu'il y ait dessus, c'est à Natacha de décider si elle peut vivre avec l'idée que d'autres les verront.

Justin tendit son téléphone à Edson.

— Demande-lui de les regarder.

Cinq minutes après, Edson était de retour :

— Elle a refusé de voir les photos et la vidéo. Elle était proche de l'hystérie, puis elle s'est effondrée sur le lit et s'est remise à sangloter. Il faudrait appeler un médecin. S'il l'examine, il pourra témoigner qu'elle a subi un trauma psychologique et nous dire s'il y a eu violence physique.

Il ajouta après un instant d'hésitation :

— Il pourrait aussi effectuer une prise de sang pour chercher plus tard des traces de drogue.

— Tu en as parlé à Natacha ?

— Non. Mieux vaut la mettre devant le fait accompli.

Edson brancha son téléphone sur Internet et chercha les médecins de garde à Búzios ce dimanche de Pâques. Le premier qu'il joignit ne pouvait se déplacer avant le lendemain. Le second était en consultation à proximité ; Edson le convainquit de passer avant son rendez-vous suivant. Il sonna au portail un quart d'heure plus tard. La nuit avait fini de tomber, les lumières du jardin s'étaient allumées. Edson lui expliqua la situation, puis le conduisit à la chambre de Natacha. Elle ne protesta pas à son entrée. Edson attendit devant la porte. À la fin de la consultation, il rejoignit avec le médecin Justin à la table du jardin.

— Elle est fortement traumatisée par ce qu'elle a vécu, mais je n'ai détecté aucune trace de violence physique.

Justin se relaxa :

— Elle vous a parlé ?

— Très peu et je comprends mal l'anglais, mais c'est entre elle et moi. J'ai pris un échantillon sanguin. Je le confierai demain à un laboratoire. Il sera à votre disposition si votre amie désire des analyses. Ce soir, elle n'en voulait pas.

Justin espéra que Natacha ne les avait pas refusées par honte, mais par certitude, quoi qu'il ait pu arriver chez Gorgias, de n'y avoir contracté aucune maladie liée au sexe.

Le médecin était pressé. Justin le retint encore :

— Vous lui avez donné des sédatifs ?

— Non, elle était calmée. Je la crois surtout épuisée, nerveusement et physiquement. J'ai préféré ne pas ajouter un autre médicament, elle est déjà sous antidépresseurs.

Justin écarquilla les yeux :

— Vous en êtes sûr ?

— Elle m'a montré les tablettes.

— Que donnerait leur mélange avec l'alcool?

— L'effet varie selon les individus: de mauvais à désastreux.

Edson raccompagna le médecin à sa voiture, puis retourna à Justin:

— C'était ça ses pastilles pour s'amuser davantage? Ce serait une explication.

— Ou une mauvaise excuse. Retourne la voir avec les échantillons de Gorgias avant qu'elle s'endorme.

— Pourquoi pas toi?

— Tu l'as dit, elle n'ose pas me parler.

— Je me coltine tout le sale boulot.

— Au moins, tu sais pourquoi j'avais besoin de ta présence.

Justin se dégourdit les jambes dans la rue. Il faillit buter sur une silhouette enfoncée dans l'ombre de la maison voisine. Il reconnut un des sbires d'Evaldo. À son retour dans le jardin, il ferma à double tour le portail d'entrée. La villa se transformait en camp retranché. Il était à peine rassis quand Edson ressortit de la maison.

— Elle refuse toujours de regarder les photos et la vidéo. Gorgias et Dario lui ont déjà tout montré cet après-midi. Elle est prête à n'importe quoi pour que personne ne voie ces images.

— Elle t'a dit ce qu'il y avait dessus?

— Non, mais ça ne signifie pas qu'elles sont

terribles. Elle est encore sous le choc. Après une bonne nuit de sommeil, elle les trouvera peut-être anodines.

— Il y a une limite à ses changements d'humeur.

— Elle a souri de savoir que tu avais refusé de les regarder, et m'a fait jurer la même chose.

Edson se massa le ventre.

— Je meurs de faim.

Il traîna Justin dans la cuisine.

— Puisque cuisiner te change les idées, prépare-nous un magret de canard.

Même un autre jour, Justin aurait jugé l'humour d'Edson pesant.

— Avec des pommes de terre rissolées?

— Oui, bien croustillantes. Et une sauce au poivre vert, si cela ne t'ennuie pas.

Justin jeta un œil dans le réfrigérateur.

— Magret de canard sans canard ou *misto quente* avec jambon et fromage?

Edson grimaça:

— C'est Pâques.

— Des œufs au plat?

— Tu as de la chance qu'il n'y ait pas de Tip Top Fast à Búzios.

Manuel les rejoignit. À l'annonce du chantage de Raul Gorgias, il reperdit son sourire à peine retrouvé. Il prépara une salade de tomates, puis alla chercher Fogo, tandis qu'Edson frappait à la chambre de Natacha. Elle répondit qu'elle n'avait pas faim. Ils mangèrent à quatre, coude contre coude, sur la table de la cuisine, dans un silence à peine troublé par les échos de l'iPod de Fogo.

Quand ils eurent fini, Edson assembla les restes sur un plateau et envoya Fogo l'apporter à Natacha.

Le *rapaz* monta à l'étage et ne réapparut pas. Edson monta à son tour. Devant la chambre de Natacha, il entendit des rires. Il redescendit sans bruit et informa Justin :

— C'est bon signe. Le moral revient.

— Fogo sert enfin à quelque chose.

Ils reprirent place sous les cocotiers du jardin. Leurs palmes luisaient sous la lune. Edson offrit en partage sa bière à Justin :

— L'alcool, c'est pour les moments de déprime.

— Je croyais que c'était pour les instants de fête.

— Qui peut le plus, peut le moins, y compris l'alcool.

— Non merci.

— Tu as tort. Quelques gorgées te convaincraient comme moi que Gorgias bluffe. Qui s'intéresserait à ses photos et ses vidéos ? Un journal ? Une télévision ? Il n'aurait pas trouvé un client si vite le jour de Pâques.

— Il a planifié son coup à l'avance, il a peut-être un acheteur depuis longtemps.

— Quel journal paierait trente-cinq mille *reais* pour des photos de la fille d'un ministre canadien, quoi qu'elle fasse dessus ?

— Je n'en sais rien.

— Ça n'intéresserait personne au Brésil. Les tabloïdes

ont des tonnes de matériel cent fois plus croustillant qu'il s'agisse de sexe, de violence ou de politique.

— L'acheteur est peut-être canadien.

— Tu surestimes les contacts internationaux de Gorgias.

— Il est quand même spécialisé dans le dévoiement des *gringas*.

— Si tu ne m'as pas raconté n'importe quoi, les journaux de ton pays ont de trop bonnes manières pour mettre le nez dans les poubelles. Si l'un s'y aventurait, ses collègues l'excommunieraient.

Justin avait envie d'y croire. Les journaux canadiens, même les pires, c'est vrai, n'avaient rien publié sur les circonstances de son accident avec son père. Les rumeurs, en revanche, avaient couru sur Internet. Le danger venait peut-être des nouveaux médias.

— Si les vidéos finissent sur YouTube et les photos sur Facebook, la moitié de la planète les verra.

— Si elle en a envie. Mais Gorgias ne touchera pas un sou, encore moins trente-cinq mille *reais*.

— À moins qu'il fasse affaire avec un site spécialisé. Ils sont nombreux et capables de créer de gros dégâts.

Edson fit la moue, il le savait trop bien. Un blogue avait diffusé des images compromettantes de l'avant-centre du Flamengo. Sa femme l'avait chassé, il ne marquait plus.

Justin continua :

— S'il ne trouve aucun acheteur, Gorgias est assez vicieux pour diffuser ses images juste pour causer du mal.

— Possible, mais si cela se produit, tu n'y seras pour rien. Natacha a voulu jouer avec les allumettes, elle s'est brûlée. Tant pis pour elle. Tu n'es pas plus responsable de Natacha que de Fogo.

— Je ne m'inquiète pas pour Natacha, je m'inquiète pour moi. À ton avis, comment réagira mon père si les photos paraissent ? Il me confie la fille d'un ministre et elle se retrouve en mauvaise posture dans une feuille à scandale ou pire. Adieu toi, João, Xuxa, Cariocanuck, le lycée Molière, Rio et même le Brésil. Je serai expédié dans une pension anglophone du fond de l'Ontario, et mon père promu par son ministère en Mongolie-Extérieure.

Edson trouva sa bière soudain amère. Justin avait avoué la moitié de la vérité. Il garda l'autre pour lui. Natacha lui avait menti sans trêve, elle lui avait affirmé être venue à Rio pour le rencontrer, alors qu'elle s'était organisée pour y retrouver Gorgias, elle l'avait berné avec l'espoir de jours en tête-à-tête à Búzios pour qu'il la mène dans les bras du Brésilien, pourtant Justin caressait encore, entre deux remontées de bon sens, la fantaisie de la sauver de ses démons. Il y eut un long silence. Edson le brisa avec sollicitude :

— Appelle Mauricio. Il est journaliste. Il te dira si Gorgias a une chance de vendre ses photos au prix qu'il demande.

Justin fut tenté, il regarda sa montre :

— Il n'est pas tard ?

— Il comprendra.

Alors que Justin résumait à Mauricio Murgell les mésaventures de Natacha, leur dimension surréaliste le frappa. Les quinze heures entre son départ de la *barraca* Formosa et sa sortie de la maison de Raul Gorgias formaient un trou noir que chacun était libre de remplir de ses fantasmes, puisqu'elle seule en connaissait les images et personne d'autre ne devait les voir. Un entrefilet suffirait à déclencher les rumeurs les plus folles.

— Je ne suis pas le mieux placé pour te répondre, Justin. À l'évidence, le *Jornal do comércio* ne serait pas intéressé. Le prix ne me paraît pas extravagant par rapport à ce que reçoivent les paparazzi pour certains clichés, mais la fille d'un ministre canadien n'est pas Paris Hilton.

Justin sourit à la comparaison, mais ne détrompa pas son interlocuteur.

— Je ne vois pas comment une publication brésilienne ou même canadienne pourrait augmenter ses ventes avec ces images, quel que soit leur contenu, à moins qu'elles s'intègrent à un dossier ou une campagne plus vaste, par exemple contre le père de Natacha. Si tu ajoutes les risques de poursuites pour atteinte à la vie privée et la possibilité que Natacha ait été droguée, aucun rédacteur en chef sain d'esprit ne s'engagerait, à mon avis, dans l'aventure. Je peux me renseigner auprès d'amis qui œuvrent dans le secteur des tabloïdes, mais je crains de leur mettre la puce à oreille et créer de l'intérêt pour des images qui n'en ont sans doute pas aujourd'hui.

— Ne fais rien pour l'instant. Je te tiendrai au courant.

Justin conclut la communication avec un semblant de sourire. Avoir entendu l'opinion d'un tiers raisonnable l'autorisait à l'être un peu lui-même.

— Qu'est-ce qu'il t'a dit ?

— La même chose que toi, mais beaucoup mieux.

Edson lampa ses dernières gouttes de bière. Justin rouvrait déjà son cellulaire.

— Qui d'autre veux-tu embêter à cette heure ?

— Evaldo. Ce matin, il m'a dit qu'il pourrait peut-être m'aider.

— Comment ?

— Je ne sais pas.

— Il dira qu'il peut t'aider, mais en échange de Fogo. Et Fogo une fois livré, tu te retrouveras le bec dans l'eau.

— Il sait que je ne lui livrerai pas Fogo. S'il m'aide, ce sera pour mes services à sa famille quand il était en prison.

— Bonne chance, Justinho, si tu comptes sur son sens de l'honneur.

— Tu ne le connais pas.

— Toi guère plus. Je me fie aux statistiques sur les mauvais garçons.

— Les solutions ne courent pas les rues, ça ne coûte rien d'essayer. Appelle Raffi de ton côté.

— Pour lui demander quoi?

— J'aimerais savoir s'il sera encore à Búzios demain et s'il accepterait de discuter pour nous avec Gorgias.

Edson se leva et s'isola de l'autre côté de la piscine pour passer son appel.

Justin composa le numéro d'Evaldo. Il répondit à la troisième sonnerie. Une musique de danse couvrait sa voix.

— Un instant. Je sors sur le trottoir.

La musique cessa.

— J'essaye de rattraper le temps gâché derrière les barreaux. C'est dommage que Lucia ne soit pas là. Que puis-je pour toi, Justin?

Comme le matin, Evaldo parut attentif, puis demanda à Justin de répéter les détails fournis par Raffi sur Gorgias.

— Il est tard, mais je saurai très vite si je suis en mesure de t'aider. Prenons un autre *café da manhã*, demain, à onze heures, chez Fabiano. Cette fois, je serai ton invité.

La communication s'acheva sans qu'Evaldo mentionne le nom de Fogo.

Edson resurgit du fond du jardin.

— Tu as de la chance. Raffi célèbre le lundi de Pâques. Demain, il sera à Búzios plutôt qu'au bureau.

— Il est d'accord pour contacter Gorgias?

— Il était occupé. Il a promis de m'appeler demain matin.

Justin n'avait plus qu'une envie : se coucher. Son téléphone sonna alors qu'il se levait. Il lut le numéro sur l'écran et tendit l'appareil à Edson :

— C'est João. Je n'ai pas le courage de lui parler.

Justin traversa le jardin en direction de la mer pour échapper au récit de la fugue de Natacha. Il ouvrit la porte et sortit sur la plage. La mer s'était retirée très loin. Il marcha vers elle. À son retour, Edson l'attendait sur le sable

— João a besoin de te parler.

— Demain.

— Non, c'est urgent.

Edson lui rendit son appareil :

— Je vais au lit. Ferme bien la porte du jardin quand tu rentres. Un type traînait dans ce coin.

Il désigna un bouquet de cocotiers en bordure du sable, puis remonta vers la maison. Justin avança vers les arbres. Il vit le bout rouge d'une cigarette et une ombre assise contre un tronc. Il était trop loin pour distinguer ses traits, mais sut que c'était le second homme de main d'Evaldo.

Justin regagna le jardin et ferma avec soin la porte derrière lui. Il vérifia que le portail sur la rue était bien verrouillé, puis se rassit au bord de la piscine et appela le numéro de João.

— De quoi voulais-tu parler ?

— Bota pense que c'est ta faute si lui et Fogo ont failli se faire tuer.

Justin soupira, il en avait assez.

— Bota pense des idioties.

— Il t'avait bien demandé de mettre Evaldo en garde contre une vengeance de l'Indien?

— Oui.

— Tu l'as fait?

— Oui, puisqu'il me l'avait demandé.

— Tu as révélé à Evaldo d'où venait l'avertissement?

— Non, puisque Bota avait insisté pour que je ne le fasse pas, mais Evaldo l'a deviné. Je n'y peux rien. Et ce n'est pas plus ma faute si Fogo a été repéré à la gare routière de Rio et si Evaldo a suivi sa trace à Búzios.

Le téléphone amplifia l'anxiété de João:

— Tu l'as vu?

— Il m'a appelé, je n'avais pas le choix.

— Tu lui as dit que Fogo se cachait chez toi?

— Il ne me l'a pas demandé, il le savait.

— Qu'est-ce que tu vas faire?

— Rentrer mardi à Rio comme prévu. Fogo résoudra ses problèmes tout seul.

— Tu ne peux pas le laisser tomber.

— Dis ça à Bota. Ils ont commis leurs saletés ensemble, qu'ils affrontent les conséquences ensemble.

— Ils ne peuvent s'en sortir que chacun de son côté.

— Tu m'avais dit que tu éclaircirais la situation.

João soupira:

— C'est fait. L'embuscade n'était pas un malentendu, le gang de São Conrado veut vraiment se débarrasser de Bota et Fogo.

— Ça veut dire quoi?

— Les éliminer. Physiquement.

— Fogo a parlé à Manuel d'hommes masqués. Pourquoi cacherais-tu ton visage à des gens que tu comptes exécuter?

— Tu es prêt à miser la vie de Bota et Fogo là-dessus?

— Tu as trouvé une solution pour Bota?

— Peut-être. Il faut que je le convainque.

— Alors, trouve une solution pour Fogo.

— Je cherche, mais promets de ne pas le mettre à la porte avant qu'on se reparle.

— Si c'est avant mardi matin, non.

Justin éteignit son téléphone. João tentait de lui transférer la responsabilité du sort de Fogo. C'était ridicule et pourtant, soit parce que Fogo s'était préoccupé de Natacha, soit parce que Bota l'avait abandonné à lui-même, il se sentait pour la première fois un devoir de protection envers le petit Noir à la trop grosse tête.

Chapitre 6

Natacha nageait dans la piscine. Justin s'approcha. Le reste de la maison dormait encore. Elle alignait les longueurs en brasse coulée. Justin en compta quinze, puis elle s'arrêta. Elle sortit la tête de l'eau et le découvrit, accroupi au-dessus d'elle.

— Elle est bonne?

— Glacée. J'en avais besoin. Tu me rejoins?

Il secoua la tête. Elle se hissa hors du bassin et courut en grelottant à sa serviette. Il la lui tendit.

— Frictionne-moi.

Elle lui tourna le dos. Il le frotta avec la même vigueur que s'il récurait une casserole.

— Plus fort.

Justin obéit. Natacha cessa de trembler, elle enfila un teeshirt. Ses jambes avaient perdu leur teinte écarlate et avaient bruni.

— Tu m'accompagnes sur la plage ?

Justin acquiesça. Ils sortirent par la porte du jardin. Justin ne vit aucun sbire d'Evaldo. Ils marchèrent vers le sud. La mer était haute, à peine plus agitée qu'un lac. Les nuages de la nuit se débandaient. La plage était vide, même de promeneurs de chiens.

Natacha prit le bras de Justin :

— Que va-t-il se passer ?

Il fit une moue évasive :

— Ça dépend de toi. Si tu veux porter plainte contre Dario et Gorgias, les accuser de t'avoir gardée contre ton gré, droguée, menacée ou harcelée, c'est à toi seule de le décider. Quoi que tu choisisses, je te soutiendrai.

— Merci, mais au mieux, je passerais pour une idiote qui l'avait bien cherché et avait eu ce qu'elle méritait. Les images seraient déballées sur la place publique. Tout le monde les verrait, et d'abord ma mère, mon père, toi, mes amis. J'en mourrais de honte.

Elle sourit avec autodérision :

— Pas tout à fait, mais je serais incapable de vous regarder en face. À chaque rencontre, je me dirais que ce ne serait plus moi que vous verriez, mais ces images. Et, avec le reste du monde, ce serait pire. Je croirais qu'on me montre du doigt et qu'on chuchote dans mon dos. C'est elle, la fille, sur ces images...

— La menace d'une plainte suffira peut-être ; ils renonceront à les utiliser.

— Sinon ?

Justin plissa le front:

— Il faudra trouver d'autres moyens de pression.

— Tu dis que c'est à moi de décider, Justin. Mais c'est le contraire. C'est toi qui mènes le jeu et moi qui te fais confiance. Je te donne carte blanche. Tu défendras mes intérêts mieux que moi.

— Et si j'échoue?

— Devine.

— Tu diras que c'est ma faute?

Natacha sourit avec malice:

— C'est ce que tu souhaites.

— Pourquoi je le souhaiterais?

— Parce que ton rôle l'exige. Sinon, ce ne serait pas drôle.

— Quel rôle?

— Tu le sais bien. Malgré mes efforts, tu refuses d'en changer. Le preux chevalier qui vole au secours de sa pas très gente dame.

Justin se sentit à nouveau transparent sous les rayons X de Natacha.

— C'est encore une comédie?

— Si tu en as trop vu de toutes les couleurs à cause de moi, lave-toi les mains de mes problèmes. Deviens le méchant. Tout sera à nouveau ta faute. Tu m'auras emmenée dans de mauvais lieux, ou tes amis s'en seront chargés: les bars de Lapa, le *terreiro* de Duque de Caxias, la *barraca* Formosa et, fatalement, j'y ai fait de mauvaises rencontres.

pour ne plus rien faire. Il aurait été simple de renoncer à aller chez Gorgias pour ne pas te causer de peine. C'est moche de céder à ses propres peurs, mais céder à celles de tes parents et amis pour toi, c'est pire. Tu joues l'imposture du sacrifice: je voudrais, tu ne veux pas; alors je renonce, pour toi.

Natacha s'était mise en colère, Justin ne tenta pas de la calmer:

— Le maître de l'égoïsme, c'est mon père. Il s'est lancé en politique sans demander mon avis. Maintenant, à cause de lui, je devrais être parfaite, pour ne pas ternir son image. Les photos et les vidéos de Gorgias et Dario, c'est sa faute. Il me le paiera. Sans lui, mes horreurs n'intéresseraient personne, personne ne songerait à les enregistrer et me faire chanter.

Natacha reprit son souffle. En quelques mètres, son visage bascula de la colère à la sérénité:

— J'ai obtenu quand même une belle récompense chez Gorgias. Assez pour ne pas regretter ma bêtise. Parfois, quand je tentais le diable, je me demandais si j'étais normale. J'avais peur d'être trop attirée par la part d'ombre du monde.

— Par le sordide plus que par l'excitant?

— Peut-être. Chez Gorgias, je me suis rassurée. Quand j'ai vu les images, je me suis dégoûtée, j'ai presque eu la nausée, j'ai ressenti tous les sentiments normaux que je craignais ne pouvoir éprouver. Je suis une imbécile avec un grain de folie, mais ni perverse, ni vicieuse. Depuis hier, je suis sûre d'être une fille presque comme les autres.

Justin hésita :

— Tu ne veux vraiment pas une analyse sanguine ?

Natacha s'arrêta et l'étudia :

— Pour trouver quoi ?

— Peut-être des traces de drogue.

— Rien d'autre ?

Justin fixa les vagues :

— J'espère que non.

Natacha sourit :

— Merci de te soucier de ma santé, mais je te promets, c'est inutile.

Justin hocha la tête. La conviction de Natacha le rassurait, même si elle cadrait mal avec l'hypothèse qu'elle ait été droguée et inconsciente de ses actes chez Gorgias.

Ils remontèrent vers l'ombre des cocotiers. Natacha changea de sujet sans préavis :

— Qui est Fogo ?

Justin l'expliqua de son mieux, ainsi que la raison de sa présence à la villa.

— Pauvre Justin, tu hérites de tous les canards boiteux.

Il haussa les épaules :

— Tu aimes bien Fogo ?

— Il me rappelle mon ours en peluche favori. Et comme on ne parle pas les mêmes langues, on ne risque pas de se disputer.

Alors qu'ils atteignaient la villa, Justin sortit son téléphone :

— Essaye de parler à ton père.

— J'espère qu'ils seront trop occupés pour répondre.

Justin composa le numéro et transmit l'appareil à Natacha. Elle obtint la boîte vocale de François D. et laissa un message à leurs deux parents :

— Soyez sages en notre absence. À demain.

. . .

Evaldo était à nouveau arrivé le premier. Il portait toujours son costume blanc et son panama sur son crâne rasé. Son sourire respirait le bonheur d'être en liberté.

Evaldo était assis à la même table que la veille. Aujourd'hui presque toutes étaient libres. Justin découvrait Búzios en semaine, le lundi de Pâques n'était pas férié. Avec le calme, le village retrouvait un peu de son charme originel. Justin reprit sa place face à la marina et l'océan, la vue restait éblouissante.

— J'ai de bonnes nouvelles, Justin.

Evaldo fit signe au serveur désœuvré.

— Tu m'autorises à commander des fraises à la crème et une coupe de champagne ?

Justin acquiesça. Si les nouvelles étaient vraiment bonnes, le *café da manhã* d'Evaldo serait une excellente affaire. Il commanda pour lui un jus d'ananas.

— J'ai obtenu des renseignements sur Gorgias. Il est très endetté et je connais certains de ses créditeurs. Ils seraient prêts à le convaincre de détruire les images de Natacha.

Les fraises arrivèrent. Evaldo en plongea une dans la crème, puis dans sa bouche. Justin le regardait, interloqué. Evaldo sourit un peu plus :

— Qu'est-ce qui te tracasse ?

— Tu sors à peine de prison, mais tu sembles au courant de tout et connaître tout le monde.

Evaldo éclata de rire :

— Si tu es intelligent, il n'y a pas de meilleur endroit qu'une prison pour rencontrer des gens et s'éduquer. C'est comme une université où tu serais pensionnaire. Il y a des professeurs et des élèves, certains arrivent, d'autres partent, tout le monde se parle car il n'y a rien d'autre à faire, tu échanges de la protection et des informations, tu rencontres des gens que tu n'aurais jamais croisés dans ta *favela*, des avocats, des comptables. Quand tu sors, c'est avec un gros carnet d'adresses et des idées bien plus claires sur la manière dont tourne l'univers.

— Tu as connu les créditeurs de Gorgias en prison ?

— Non, j'y ai rencontré deux membres de leur organisation, un petit soldat comme moi, et un comptable. Ils m'ont mis en contact avec leurs chefs.

— Comment ?

— Les cellulaires ne manquent pas en prison.

— Les créanciers de Gorgias appartiennent à une organisation criminelle ?

— Pas du tout. Ils pourront au contraire devenir vos alliés contre l'association des résidants. C'est ce que je souhaite. Ils sont très reconnaissants de mes conseils et ont tout intérêt au succès de Cariocanuck afin que leurs investissements rapportent gros. Je leur ai expliqué les conséquences que les images de Natacha, si elles sont divulguées, auraient sur Cariocanuck et le développement de la *favela*. C'est une raison de plus pour eux de convaincre Gorgias qu'il aurait tort de les vendre. Cette fois, tu comprends, Justin ?

Justin fit signe que oui. Evaldo demanda un supplément de crème et mangea ses dernières fraises. Le nom de Fogo n'avait pas été prononcé. Justin voulut s'assurer qu'il ne le serait pas.

— Je ne devrai rien à tes amis, mais à toi ?

Le sourire d'Evaldo se transforma en grimace :

— Je le jure, Justin, rien ne me ferait plus plaisir que te rendre ce service en cadeau pour ton aide à Xuxa, Márcia et Lucia, mais c'est impossible. Il me faut Fogo en échange. Ça ne dépend pas de moi.

— Pourquoi ?

— Bota avait raison, l'Indien voulait se venger de moi. Je l'ai convaincu de s'en prendre plutôt à Bota et Fogo. Maintenant, c'est eux ou moi. L'Indien et le gang de São Conrado ne peuvent se permettre de perdre la face.

— Ce n'est pas tout à fait ce que tu m'as dit à la *lanchonete* Tocantins.

— Je sais, Justin. Tu apprendras à me connaître.

Je me conduis toujours comme si tout allait bien. Pour survivre dans ce milieu, il faut donner le change. Je frime, mais moi aussi j'ai peur. Les deux types qui m'accompagnent sont d'abord là pour me surveiller. Le gang de São Conrado et l'Indien conservent des doutes à mon sujet. Je dois les dissiper. Ils savent ce que tu as fait pour ma famille et aussi que tu héberges Fogo. Ils me testent, pour découvrir si je leur livrerai Fogo, quitte à le prendre de force chez toi, ou si ma reconnaissance pour toi passera avant mes devoirs envers eux. Ils sont encore plus impatients parce que l'Indien, de son côté, ne parvient pas à mettre la main sur Bota.

— Si tu t'empares de Fogo, qu'est-ce qu'il lui arrivera ?

— Il sera expulsé du gang. Quand cela se produit, tu veux t'assurer que l'expulsé ne se transforme pas en informateur, pour la police ou une organisation concurrente. S'il est haut placé et en sait trop, tu l'élimines. Aux autres, tu passes une raclée suffisante pour les dissuader de bavarder. Fogo, c'est sûr, appartient à la deuxième catégorie.

— Il est persuadé que, si lui et Bota ne s'étaient pas échappés, ils auraient été tués.

— Ça m'étonnerait, même si Bota risque des ennuis plus sérieux que Fogo, car il n'a pas l'excuse d'être simple d'esprit.

Evaldo posa sa main sur le bras de Justin pour mieux plaider sa cause :

— Je ne te raconte pas d'histoires. J'ai besoin de Fogo pour tourner la page. C'est mon seul moyen d'être quitte avec le gang de São Conrado. Tu n'as pas à me livrer Fogo pieds et poings liés, même pas à me donner l'adresse de ta villa, je la connais. Il n'y a pas tant de maisons à louer et d'agences immobilières à Búzios, j'ai même vu les plans. Je te demande juste de laisser Fogo seul à la villa pour que je m'en empare sans grabuge. Rien d'autre. Je t'ai dit que je ne veux pas recommencer mes bêtises, je suis sincère. Je ne veux pas d'entrée par effraction, pas de violence, juste Fogo.

— Attends demain. Je rentre à Rio, il ne pourra pas rester dans la villa.

— Demain, j'aurai échoué au test. Le gang saura que je t'ai accordé la priorité sur eux. Ça ne changera rien pour Fogo, mais tout pour moi. Mes deux accompagnateurs s'occuperont de moi, puis de lui. Si Fogo tombe entre mes mains, je te promets de le défendre : il est bien trop stupide pour être plus qu'un comparse aux mains de Bota.

Justin sourit :

— Je croyais que tous deux étaient des *erês*, des esprits malfaisants du *candomblé* ?

— Le gang de São Conrado ne croit pas au *candomblé*.

— Si j'accepte ta proposition, il te faudra combien de temps pour convaincre Gorgias et Dario ?

— Deux heures, pas plus.

— Je t'appelle dès que j'ai pris une décision.

Trois minutes de marche conduisirent Justin au Sushi Jardin. Raffi avait rappelé Edson et accepté de parler à Gorgias. Il leur avait fixé rendez-vous dans ce restaurant pour rapporter les résultats de sa démarche. Edson était déjà attablé devant des flocons de riz au wasabi.

— Evaldo a découvert l'effaceur miracle des bêtises de Natacha ?

— Il a peut-être une solution.

Justin la décrivit à Edson.

— Le prix de sa solution, c'est la tête de Fogo ?

— Non. Elle est gratuite, en remerciement de mon aide à sa famille.

— Tu as accepté ?

— Je voulais d'abord écouter Raffi.

— Méfie-toi. Ce qui semble trop beau pour être vrai ne l'est pas en général.

Raffi arriva dans son cabriolet Miata. Il le confia au voiturier. Un pantalon blanc et un blazer bleu marine de plaisancier avaient remplacé sa djellaba. Il choqua le serveur qui le connaissait boulimique : « Je n'ai pas faim », puis commanda une bouteille de saké et trois godets.

— Gorgias croyait que je l'appelais pour sa voiture. J'ai suivi le plan de marche établi avec Edson et présenté mon appel comme une tentative de résolution amiable. J'ai tenté de le convaincre qu'il allait au-devant de sérieux risques juridiques, mais il m'a affirmé avoir la conscience tranquille : Natacha n'avait été contrainte ni physiquement ni moralement, il ne l'avait pas drognée. S'il était attaqué en justice, il répliquerait par un procès en diffamation et toucherait, en plus de l'argent des images, le gros lot en dommages et intérêts. Je lui ai rappelé que le chantage était un crime, il n'a pas semblé davantage impressionné. J'ai ensuite accepté de discuter argent. J'ai laissé entendre que s'il abaissait sa demande à un montant raisonnable, je pourrais peut-être vous convaincre, dans un esprit de conciliation, de le verser, mais il a refusé de transiger. En clair, j'ai fait chou blanc.

Il but cul sec un godet de saké froid. Justin n'était pas surpris de l'échec de la discussion, mais l'opinion de Raffi l'intéressait :

— Quelle impression t'a laissée Gorgias ?

— Je le crois aux abois. À mon avis, il doit de grosses sommes à ses créanciers et s'est vu incapable de faire face à sa prochaine échéance. Il s'est alors résigné à prendre des risques beaucoup plus élevés que d'habitude. Son chantage à l'égard de Natacha n'entre pas dans la même catégorie que ses services de gigolo pour vieilles dames consentantes. Maintenant, il doit aller au bout quelles que soient les conséquences. Je pense qu'il refuse de réduire sa demande, car elle correspond au montant de sa prochaine échéance. De plus, cela reviendrait à admettre qu'il n'a pas d'acheteur.

Edson saisit la balle au bond :

— Tu crois qu'il en a un?

— J'ai tendance à penser que oui.

Justin secoua la tête:

— Alors, pourquoi nous contacter? Il se rend coupable de chantage, risque des poursuites et, en plus, nous permet de nous préparer à la sortie des photos et des vidéos.

— Parce qu'il ment quand il prétend ne pas vouloir faire monter les enchères. Si vous acceptez son prix, il se retournera vers son autre acheteur.

Edson grappilla quelques flocons de riz, puis regarda Justin:

— Faisons semblant d'accepter son prix pour gagner du temps.

— Jusqu'à quand?

— Jusqu'au retour de Natacha au Canada.

— Après?

Edson esquissa un geste fataliste:

— Advienne que pourra.

Raffi vida un second godet de saké et reprit la parole:

— Si vous refusez l'offre de Gorgias, je ne pense pas que les photos de Natacha feront la une demain au Brésil ou au Canada. S'il a un acheteur, ce n'est pas, à mon avis, une entreprise de médias. Gorgias réalisera une vente, mais vous le découvrirez bien plus tard ou peut-être jamais.

Justin s'avança sur son siège:

— Qu'est-ce que tu veux dire?

— Le père de Natacha est un homme politique. Il est à la fois ministre et, je crois, député fédéral.

Justin acquiesça.

— Les images de Gorgias me paraissent surtout intéressantes pour un chantage contre lui. Leur possesseur pourrait menacer de les diffuser si le père de Natacha ne renonce pas à son mandat, refuse de truquer un appel d'offres ou d'accorder un contrat avantageux à telle entreprise.

— Un chantage pour le corrompre?

— Oui, Justin.

Justin ignorait le pouvoir d'intervention du ministre fédéral du Patrimoine sur les aides et les subventions aux intervenants de son secteur. Il concevait mal un directeur de musée ou de troupe de théâtre en maître chanteur, mais la réalité défiait parfois jusqu'à son imagination. Un chantage lié à l'octroi de contrats dans le comté d'Acadie-Bathurst semblait à peine moins improbable. En revanche, Natacha était la filleule du premier ministre.

Bien qu'amateur de théories du complot, Edson parut aussi dubitatif:

— Je serais surpris que Gorgias ait un doctorat en sciences politiques canadiennes.

— Il est peut-être simple exécutant.

— C'est-à-dire?

— Ce n'est peut-être pas lui qui a trouvé un acheteur, Edson, mais l'acheteur qui l'a trouvé. Le vrai maître chanteur l'aurait mis sur la piste de Natacha ; il peut être brésilien ou au moins basé au Brésil.

Justin n'y croyait toujours pas, les faits contredisaient l'hypothèse de Raffi :

— C'est Natacha qui a initié le contact avec Gorgias, pas le contraire.

Raffi sourit :

— Alors supposons que Gorgias ait parlé de la prochaine visite de Natacha à un tiers qui aura eu une idée. En fait, le suspect le plus évident, c'est toi, Justin, ou ton association, Cariocanuck. Tu espères une subvention du gouvernement canadien, tu la maximiseras en échange des images de Natacha.

La nouvelle théorie de Raffi plut à Edson :

— Cela expliquerait que tu aies presque jeté Natacha dans les bras de Gorgias. Il ne pouvait s'agir juste de naïveté.

L'esprit de Justin bifurqua vers une autre piste : les amis d'Evaldo voulaient peut-être moins la destruction des images que se les approprier pour tenir ensuite, à travers lui, Cariocanuck à leur merci.

Tous trois s'enfoncèrent dans des spéculations silencieuses. Pour y mettre fin, Justin se retourna vers Raffi :

— Si nous payons le prix demandé par Gorgias, quelle garantie aurons-nous d'être les seuls à recevoir les images ? Si ton hypothèse sur leur utilisation est exacte, il pourrait les vendre cent fois sans que nous en sachions rien ou beaucoup trop tard.

— Il m'a offert sa parole et j'ai ricané à mon tour. En cas de transaction, il accepterait de confirmer par écrit que tous les autres exemplaires des images ont été détruits et qu'il n'en a pas vendu ou cédé auparavant.

— Son acheteur n'a pas eu droit à des échantillons comme nous?

— Il assumera la responsabilité de leur diffusion éventuelle.

— Mais le mal sera fait.

Raffi soupira:

— Tu as une meilleure solution?

Justin n'en avait pas. Il inspira un grand bol d'air, sa conscience exigeait qu'il poursuive toutes les possibilités:

— Serais-tu prêt à avancer l'argent?

Raffi perdit presque son flegme:

— Pardon?

— Comme quand j'ai payé la rançon de Xuxa.

— Je t'avais prêté de l'argent, ce que tu en faisais ne regardait que toi. Et la somme n'avait rien à voir.

— Depuis, tu es devenu un vrai banquier.

— Un vrai banquier doit se faire rembourser. Comment t'y prendrais-tu, Justin?

— Puisque la banque Ka-Rio financera nos projets de développement dans la *favela do Pavão*, tu te rembourserais indirectement sur les profits qu'elle en tirera. Si les images de Natacha circulent, c'en est fait de Cariocanuck et du développement de la *favela*.

— Je ne pense pas. Le temps efface tout. Même si ce n'est plus avec Cariocanuck et des partenaires canadiens, la mise en valeur de la *favela* ira de l'avant.

— Mais elle sera au moins retardée. Considère l'argent comme un investissement de votre banque pour accélérer le développement de la *favela*. Plus il ira vite, plus vous serez associés à sa croissance, plus vos profits seront rapides.

Raffi secoua la tête avec un début de gêne. Justin se força à continuer :

— Alors, l'argent sera un remerciement.

— À qui et pourquoi ?

— À moi, pour avoir convaincu mon père d'inclure le tien parmi les banquiers qui rencontreront le ministre canadien des Finances et les chefs d'entreprise de la délégation. L'introduction conduira à de très bonnes affaires pour Ka-Rio, elle vaut de l'argent.

Raffi ne souriait plus du tout :

— Tu t'entends, Justin ? Tu me demandes un pot-de-vin pour favoriser Ka-Rio dans le financement des projets de la *favela* et pour la participation de mon père à la réunion avec tes compatriotes.

Justin réalisa à quel point Raffi disait vrai, il raisonnait en parrain du *Pavão*. Il recula trop tard :

— Ce n'est pas ce que je voulais insinuer.

— Je n'en doute pas, mais imagine que je paye pour éviter la diffusion des photos de Natacha et qu'on le découvre. Même s'il n'y a pas de contrepartie, personne ne le croira, alors que Ka-Rio et Cariocanuck travailleront main dans la main au sein de la *favela*. Là, tu aurais pour de bon un vrai scandale sur les bras, et moi aussi.

Justin sembla si honteux que Raffi retrouva le sourire :

— Si tu veux acheter les photos, rien de plus simple. Demande aux parrains du *Pavão*. Ils te prêteront l'argent et tu seras leur otage pour le restant de tes jours. Cariocanuck deviendra une annexe de l'association des résidants.

Raffi fronça les sourcils, comme si sa plaisanterie avait visé juste à son insu :

— D'ailleurs, c'est peut-être l'acheteur ou le commanditaire de Gorgias.

Justin releva la tête :

— L'association des résidants ?

— Oui. Si elle met la main sur les photos de Natacha, elle n'a plus rien à craindre de vous. Pour trente-cinq mille *reais*, elle fera à nouveau la pluie et le beau temps dans la *favela* et Cariocanuck travaillera pour elle. Les subventions canadiennes seront siphonnées avec des projets fantômes, les travaux dans la *favela* seront réalisés à son bénéfice, les emplois que vous créerez iront à ses protégés.

• • •

Au retour de Justin et Edson à la villa, un des hommes d'Evaldo était posté dans la rue. Natacha et Fogo s'amusaient au bord de la piscine. Ils avaient échangé leurs iPods, chacun écoutait la musique de l'autre. Natacha riait aux éclats. Justin se demanda si les images de Gorgias ne l'inquiétaient plus ; elle lui faisait vraiment totale confiance ou jouait encore la comédie.

Pour Justin, le choix était affreusement simple : accepter la proposition d'Evaldo ou parier que Gorgias était sans acheteur.

Natacha accrocha un pin's du drapeau canadien sur le teeshirt de Fogo, il sourit et bomba le torse avec une fierté de médaillé olympique.

Le téléphone de Justin sonna, l'écran affichait le numéro de João.

— J'ai trouvé un point de chute pour Fogo. Une maison de religieuses à Juiz de Fora. Elles sont prévenues et l'attendent. Il y a en permanence quelqu'un à la porte.

— Tu envoies aussi Bota là-bas ?

João répondit avec retard :

— J'ai un autre plan pour lui.

— Lequel ?

João hésita à nouveau :

— Il va s'embarquer sur un cargo.

Justin ricana :

— Fogo est à dix mètres de moi. Bota veut lui annoncer au téléphone qu'il le laisse tomber ?

— Il l'appellera à Juiz de Fora. Laisse croire à Fogo que Bota l'y rejoindra, sinon il refusera de partir.

— C'est abject. Comment peux-tu être complice de ça ?

— Pour Bota, c'est une chance unique de s'en sortir. Je ne veux pas qu'il la gâche à cause de Fogo.

— Vous me dégoûtez tous les deux.

— Je t'envoie les coordonnées des religieuses par message texte. Demain, le crochet par Juiz de Fora ne vous prendra pas plus de trois heures.

— Tu plaisantes ? J'ai fourni un refuge à Fogo, je ne lui servirai pas en prime de taxi. Je le mettrai juste dans le bon bus.

— Trois heures, ce n'est rien pour toi et ça peut décider de son sort.

— Si nous le prenons avec nous en voiture, Evaldo et ses hommes nous suivront.

— Ils n'oseront pas intervenir.

— Tu n'en sais rien.

— J'ai vérifié les liaisons de bus. Il n'y a pas de ligne directe entre Búzios et Juiz de Fora. Si Fogo repasse par Rio, il n'a aucune chance.

— Nous le déposerons dans une gare routière d'où il pourra rejoindre Juiz de Fora sans passer par Rio.

— Si Evaldo et ses hommes vous suivent, ils mettront la main sur Fogo dès sa sortie de la voiture.

— Il ne sera pas moins en sûreté dans la foule d'un bus qu'avec nous. Si tu as mieux à proposer, je t'écoute.

— Je te l'ai déjà dit. Emmène-le en voiture à Juiz de Fora.

— S'il nous suit, Evaldo saura à nouveau où il se cache. Fogo aura à peine changé de prison et gagné quelques jours de répit.

João n'avait pas de solution miracle, Justin non plus. Il coupa la communication. Fogo riait toujours avec Natacha. Justin songea à Exu. Il lui faudrait être diabolique pour ne pas se substituer au destin et laisser Fogo maître de son sort.

Evaldo sourit:

— Ils ne seront pas en état de refuser. Je t'appelle dès que c'est réglé.

Evaldo retourna à sa voiture. Justin longea la mer, puis prit le sentier vers Ossos et Armação de Búzios. Le restaurant Cigalon était fermé. Il se rabattit sur David et réserva une table de quatre personnes pour le soir. *Rua das Pedras*, un agent de voyages vendait des billets de bus. Les principales compagnies possédaient un système de réservations informatisé. Justin étudia les itinéraires de Búzios à Juiz de Fora, puis acheta trois combinaisons de billets pour le soir et le lendemain.

Afin de ne rien laisser au hasard, il retourna au restaurant David et s'entretint avec le maître d'hôtel, puis se rendit au Sushi Jardin et y réserva aussi une table. Evaldo l'appela juste alors qu'il ressortait. Ils se retrouvèrent dans une cafétéria anonyme sur le point de fermer.

— Tout s'est bien passé?

Evaldo hocha la tête:

— Quand ton créancier te jure au téléphone que, si tu vends certaines images, tu risqueras plus gros que pour un défaut de paiement, tu le prends au sérieux.

— Tes amis font si peur?

— Lorsque tu prêtes de l'argent hors des canaux officiels, c'est le seul moyen d'être remboursé. Dix minutes plus tard, j'ai sonné chez Gorgias. Il avait l'air malade. Dario a tenté de jouer les fortes têtes, mes deux gros bras lui en ont vite passé l'envie. Ensuite, tout est allé comme sur des roulettes. Ou presque.

Evaldo tira une clé USB d'une poche intérieure de sa veste :

— Toutes les vidéos et les photos y sont.

— Tu les as regardées ?

— Je n'avais pas le choix. Je ne voulais pas te rapporter des images de leur potager.

— Elles sont si moches que ça ?

Evaldo fit la moue :

— Si j'avais reconnu Lucia à la place de Natacha, Gorgias et Dario auraient passé un sale moment. Si la fille avait été une parfaite inconnue, je crois que je n'y aurais pas fait attention. Avec Natacha, c'est un peu des deux.

— Gorgias a avoué qu'il avait un acheteur ?

— Il aurait aggravé son cas. Au téléphone avec mes amis, puis face à moi, il a juré son innocence. Il n'avait jamais été question de vendre les images. Il n'avait même pas prévu d'en prendre. L'idée était venue de Natacha. Elle leur avait demandé des clichés coquins et drôles. Le faux chantage avait prolongé la plaisanterie, pour connaître ta réaction.

Justin l'aurait cru, sans le visage décomposé de Natacha à sa sortie de chez Gorgias. Il aurait mis sa main au feu qu'alors elle ne jouait pas la comédie.

— Tu as aussi les lettres ?

Elles sortirent de la même poche que la clé USB.

— J'ai demandé à Gorgias d'écrire chacune en deux exemplaires pour conserver le second au cas où il oublierait ses engagements. La première lettre n'a pas posé de problème. La deuxième a été toute une histoire. Même après le travail de conviction de mes gros bras, Dario refusait de signer. Gorgias a fini par le persuader, mais tous deux ont continué à protester qu'ils n'avaient pas drogué Natacha. Si la lettre est utilisée contre eux, ils certifieront l'avoir signée sous la contrainte.

Justin lut les deux déclarations. Leurs grosses écritures avaient l'avantage de la lisibilité. Elles disaient ce qu'il avait demandé dans un portugais qui déplairait à un avocat, mais il ne pouvait espérer mieux.

Chacune portait les signatures de Raul Gorgias et Dario Batista. Justin n'avait vu aucun échantillon de leurs écritures, les lettres pouvaient avoir été rédigées et signées par n'importe qui, peut-être Evaldo et un de ses sbires.

Evaldo sembla deviner les doutes de Justin :

— J'ai demandé à Gorgias et Dario de lire chaque lettre à haute voix. Un de mes hommes les a filmés, ainsi que la séance de signatures. Tu recevras une copie de l'enregistrement dès que j'aurai Fogo.

— Tu ne me fais pas confiance ?

— Moi si, l'Indien et le gang de São Conrado non. Si je te croyais sur parole, je serais un peu plus suspect à leurs yeux.

Justin n'était pas totalement satisfait :

— Gorgias doit de l'argent à tes amis, mais pas Dario. J'ai peur qu'il se sente moins lié par ses engagements.

— Que voudrais-tu de plus ?

— Son numéro de cellulaire.

Evaldo le regarda avec surprise :

— Rien d'autre ?

— Non.

Evaldo sortit son téléphone et appela Gorgias :

— Inutile de vous alarmer. Donnez-moi juste le numéro de cellulaire de votre ami Dario pour le joindre sans vous déranger s'il manquait de bon sens.

Evaldo nota les huit chiffres au dos d'une carte du Café Fabiano qu'il tendit à Justin.

— Maintenant, à toi.

Justin rapprocha sa chaise de la table et y appuya ses coudes :

— Ce soir, Natacha, Manuel, Edson et moi mangerons au restaurant. Fogo restera seul à la villa, avec l'ordre de n'ouvrir à personne, sauf au livreur qui lui apportera une pizza. Tu sonneras à l'interphone du portail et prétendras être ce livreur.

— Si le vrai livreur s'est présenté avant ?

— Il n'y aura pas de vrai livreur. Quand vous emmènerez Fogo, assurez-vous de bien verrouiller le portail de l'intérieur, puis sortez par la porte arrière du jardin et refermez-la derrière vous. Voici la clé.

Evaldo l'empocha.

— Ensuite, enterrez-la dans le sable à côté de la porte pour que je la retrouve.

Evaldo sourit à Justin :

— Moi aussi, j'aime bien comprendre. Explique-moi.

— Je dirai avoir donné la clé à Fogo et qu'il a décidé lui-même de partir. Personne ne doit savoir que je t'ai facilité la tâche. Même Fogo devra penser que l'idée du livreur de pizza t'est venue quand tu nous as vus entrer dans un restaurant.

— Un heureux concours de circonstances pour moi.

— Et un mauvais pour lui. Rien d'autre.

Evaldo regarda Justin avec un respect ironique :

— Tu me rappelles un avocat que j'ai connu en prison. C'est tout ?

— Pas tout à fait.

Evaldo écouta les dernières instructions de Justin :

— Tu es diabolique.

— C'est un compliment ?

— J'espère.

Les dernières traces du jour s'effaçaient à l'ouest quand Justin regagna la villa. Edson se précipita sur lui :

— C'est arrangé ?

— Je crois.

— Je te souhaite d'avoir vu juste à propos d'Evaldo. Viens, tu arrives à temps.

— Pourquoi ?

Edson le regarda comme un simple d'esprit :

— La chasse aux œufs de Pâques, Justinho.

Justin ravala son envie de rire :

— Tu es débile, *fenomeninho*.

— Et donc indispensable.

Edson avait dissimulé des œufs en chocolat aux quatre coins du jardin. Les lanternes s'allumèrent, ce fut le signal de la chasse. Fogo l'emporta avec six prises, Natacha et Manuel capturèrent cinq œufs chacun. Justin finit bon dernier avec trois. Edson en avait mis autant de côté pour lui. Les chasseurs se rassemblèrent autour de la table du jardin pour dévorer leurs proies. Justin s'approcha de Natacha.

— Je peux te parler ?

Il l'entraîna à l'étage de la villa et, sur le balcon de sa chambre, lui remit la clé USB :

— C'est le seul exemplaire des images de Gorgias. Vérifie quand même que ce n'est pas une collection de couchers de soleil.

Elle la prit et sourit :

— Merci beaucoup, Justin.

— Remercie plutôt Evaldo, le frère de Márcia.

— Comment s'y est-il pris ?

— Tu m'as confié ton sort pour ne pas le savoir. Disons que des amis à lui ont convaincu Gorgias qu'il faisait une bêtise.

— Il n'y a pas d'autres copies ?

Justin sortit la première lettre signée par Gorgias et Dario :

— Ils ont garanti par écrit que non.

— Je peux la garder ?

— Bien sûr. Les amis d'Evaldo espèrent obtenir une seconde lettre où ils avoueraient t'avoir droguée.

Natacha étouffa un cri de joie, la lettre ôterait toute crédibilité à une éventuelle divulgation des images. Sa voix vibra d'espoir :

— Quand ?

Justin avait décidé de ne pas pousser cette fois sa confiance en elle jusqu'à la candeur :

— Après la visite de la délégation canadienne dans la *favela do Pavão*, si elle se passe bien.

— C'est un autre chantage ?

— Au contraire, ce sera un remerciement de leur part. Si la visite est un succès, les amis d'Evaldo et Evaldo profiteront tous de ses retombées.

— Ça ne dépend pas de moi.

Justin sourit sans malice :

— Un peu. Tu es fille de ministre et filleule de premier ministre.

Natacha emporta la lettre et la clé USB dans sa chambre. Justin prit le couloir vers celle de Fogo et frappa à sa porte. En l'absence de réponse, Justin l'entrebâilla. Trois œufs en chocolat s'alignaient sur la table de nuit. Fogo était allongé sur le lit, les écouteurs de son iPod dans les oreilles. Justin entra et se plaça dans l'axe de son regard.

Fogo se redressa et éteignit son iPod. Justin s'assit sur la seule chaise de la chambre et lui signala de retirer ses écouteurs. Fogo obéit et s'installa sur le lit. Justin parla lentement et lui demanda de répéter. Quand il fut certain que Fogo avait tout compris, il se releva et sortit de son bermuda une pochette en plastique :

— Tout y est.

Justin y avait rangé les coordonnées des religieuses à Juiz de Fora, les billets de bus achetés chez l'agent de voyages, de l'argent.

— Maintenant, à toi de décider.

Fogo hocha gravement la tête pour signifier sa compréhension. Justin redescendit au rez-de-chaussée. Son plan se déroulait encore sans encombre. Natacha était assise seule à la table du jardin. Justin s'installa face à elle et l'interrogea du regard. Elle acquiesça, puis nuança :

— Je ne peux pas être sûre que toutes les photos y sont.

Edson les rejoignit. Justin renonça à demander des précisions. Son regard voyagea de Natacha à Edson.

— Ce soir, je vous emmène au restaurant.

Le visage d'Edson forma une moue d'ennui :

— Pourquoi ?

— C'est notre dernière soirée à Búzios, les soucis de Natacha sont réglés et ce jardin me fait toujours plus l'effet d'une cour de prison.

— Pas à moi. J'y passerais bien la soirée.

Natacha appuya Edson :

— Moi aussi.

Justin refusa de s'énerver :

— Désolé pour vous, mais j'ai une réservation chez Cigalon. Hier, tu réclamais un magret de canard, c'est l'occasion ou jamais.

Edson sourit avec facétie:

— Le magret de canard ne m'intéresse que si tu le prépares, Justinho. Je suis sûre que Natacha aussi rêve de connaître tes talents de cuisinier.

— Je ne suis venue au Brésil que pour goûter les recettes de Justin, mais j'ai à peine eu droit à des œufs brouillés.

Justin rectifia:

— Et des saucisses grillées.

Natacha écarquilla les yeux:

— Quand?

Justin ne lésina pas sur l'ironie.

— À cette table, avant notre merveilleuse soirée à la *barraca* Formosa.

Natacha parut gênée. Edson secoua la tête:

— Quand tes convives oublient ta cuisine, c'est mauvais signe. Ce soir, tu as la chance de te rattraper.

— Alors, dis-moi ce dont tu as envie. Un magret de canard?

— Pas ce soir.

— Alors quoi?

— En tout cas, rien chez Cigalon. C'est guindé à couper l'appétit.

— Ça tombe bien. Cigalon est fermé.

— Je croyais que tu y avais réservé une table?

— Tout le monde peut se tromper. De quoi as-tu vraiment envie?

Edson saliva:

— Tu le sais bien. De langoustes grillées.

— Mais il n'y en a pas au réfrigérateur et nous sommes lundi soir, les poissonneries sont fermées. Donc, pas de langoustes à moins d'aller au restaurant, n'est-ce pas Edson ?

Edson hésita :

— Peut-être.

— Parfait, car David est ouvert, une table nous y attend et quatre langoustes du vivier nous ont été réservées.

Edson s'avoua vaincu. Esseulée, Natacha abdiqua. Justin respira mieux, alors qu'Edson l'étudiait avec attention.

— Si je t'avais dit que je rêvais de sushis, Justin ?

— Une table nous attendait au Sushi Jardin.

— Si j'avais insisté pour le magret de canard ?

— Je serais tombé des nues en trouvant Cigalon fermé.

— Tu ne voulais vraiment pas manger ici, ce soir ?

— Non.

Ils étaient prêts à partir. Manuel était au volant de la Lexus. Edson venait de monter à l'arrière et gardait la porte ouverte pour Natacha. Elle se retourna vers Justin :

— Pas question d'abandonner Fogo ici.

Justin soupira à l'idée d'une ultime négociation :

— Ici, il est en sécurité. Dehors, non.

— Avec nous, il ne risque rien.

— Si deux hommes le saisissent chacun par un bras, tu t'interposeras ?

— Manuel interviendrait.

— Il n'est pas garde du corps de Fogo. Surtout si le camp en face est armé.

— Tu essayes de me faire peur?

— Lis les statistiques. Et s'ils sont en prime soûls ou drogués, c'est plus dangereux que la roulette russe.

Natacha lâcha prise:

— Rapportons-lui au moins une langouste.

Justin acquiesça avec enthousiasme. Natacha rejoignit Edson à l'arrière de la Lexus. Fogo était sorti dans le jardin pour leur dire au revoir et avait suivi la discussion de Natacha et Justin sans rien en comprendre. Justin lui répéta une dernière fois ses instructions:

— N'ouvre qu'au livreur de pizza.

Fogo voulut parler. Justin l'arrêta:

— Et tais-toi, même si tu as pris une décision.

Fogo adressa à Justin un sourire qu'il crut complice, puis rentra dans la maison. Justin s'assit à côté de Manuel. Il actionna l'ouverture automatique du portail et la Lexus le franchit. Ses vitres teintées et la nuit abritaient ses occupants des curiosités de l'extérieur. Manuel attendit la fermeture complète des deux battants, puis prit la direction du restaurant. Ils en approchaient, quand il pointa du doigt le rétroviseur central à Justin.

— Nous sommes suivis.

Justin reconnut, comme il l'espérait, la Passat.

— C'est la voiture d'Evaldo et ses hommes. Il croient sans doute que Fogo est avec nous. Promène-les.

La Lexus fit à petite allure le tour de la péninsule, la Passat une centaine de mètres derrière elle. Justin regarda sa montre :

— Ça suffit. Sème-les.

Manuel accéléra. Au sortir d'un virage, un panneau indiquait l'entrée d'une *pousada*. Manuel éteignit ses feux et s'engagea dans le sentier qui y conduisait. La Passat passa sur la route sans ralentir. Edson s'étonna de leur naïveté :

— Ils ne sont pas très doués pour la filature.

Justin sourit dans le noir, Evaldo lui obéissait à la lettre. Manuel exécuta un demi-tour et reprit la route en sens inverse. Lorsqu'il se gara devant le restaurant David, la Passat n'avait pas réapparu.

Leur table les attendait, sous une nappe en damier rouge et blanche. Dans le vivier, une langouste n'avait pas encore trouvé preneur. Justin la réserva pour Fogo.

— Puisque nous lui rapportons une langouste, inutile de lui envoyer une pizza.

La remarque de Justin respirait le bon sens, elle ne souleva nulle objection. Justin avait fait sa part. À Fogo et Evaldo de jouer leurs cartes. Il ne voulait rien savoir de leur partie.

Justin aurait aimé s'amuser, mais s'en sentit incapable. Quand les langoustes arrivèrent, il trouva à la sienne un goût de sandwich Tip Top Fast. Sa grise mine finit par énerver Edson :

— Si tu te sentais en prison à la villa, ne nous impose pas une tête de condamné à mort ici.

L'esprit de Justin était à la villa, plein d'images transmises peut-être en direct. C'était un film sans queue ni tête. Fogo s'échappait, puis le temps se rembobinait et il se retrouvait prisonnier d'Evaldo.

Manuel se méprit sur son air soucieux :

— Tu veux que je retourne à la villa tenir compagnie à Fogo ?

Justin le regarda comme s'il était fou à lier.

— Mais non. Pas du tout.

À côté d'eux, Edson et Natacha fracassaient les carapaces de leurs crustacés avec des glapissements de plaisir. Ils se léchaient les doigts, aspiraient la chair des pattes, se gavaient et riaient.

Justin éteignit son téléphone ; quelles que soient les nouvelles, elles auraient été mauvaises. Des horaires de bus défilaient comme des sous-titres de film dans sa tête. Fogo avait eu le choix entre un départ à dix-neuf heures quarante-cinq pour Niterói et un pour São Gonçalo à vingt et une heures dix. Une correspondance quittait Niterói pour Juiz de Fora à vingt-trois heures ; São Gonçalo à minuit cinq.

Pour attraper le premier bus, Fogo aurait quitté la villa alors qu'Evaldo suivait la Lexus. S'il avait attendu l'arrivée de sa pizza pour ne pas partir le ventre creux, Fogo était aux mains d'Evaldo.

Les répliques de Natacha et d'Edson enveloppaient Justin dans un brouillard sonore. Edson demandait ce que Natacha reprochait aux photos de Gorgias. Elle répondait que, cet après-midi, elles lui avaient plu : juste un peu floues et parfois de son mauvais profil. Edson n'avait pas remarqué qu'elle en avait un bon. Ils rirent. Justin se crispa un peu plus.

Le sort de Fogo dépendait d'une envie de pizza ou d'un lit confortable, une nuit de plus. À la place de Fogo, Justin n'aurait pas hésité. Il aurait attendu la pizza, pour la manger devant la télévision puis profiter de sa dernière nuit sous la protection de la villa. Pour rien au monde, il ne serait sorti dans le noir passer une nuit blanche dans des bus. Justin serait tombé aux mains d'Evaldo, mais n'avait jamais été un *rapaz* des rues.

Natacha sortit sa tablette de pastilles et en croqua une. Justin regarda sa langouste à peine entamée. Il prit le casse-noix et sentit son bras droit s'engourdir. Il n'avait pas assez de prise pour briser la carapace. Justin transféra le casse-noix dans sa main gauche. Il revit le sourire de Fogo. Il y avait lu de la complicité, peut-être était-ce plutôt de la compréhension ou un pardon. Quand Fogo avait demandé si Bota serait à Juiz de Fora, Justin avait menti avec réticence. Il lui avait semblé que Fogo n'était pas dupe, mais ne lui en voulait pas de son mensonge. Pour la première fois, Justin avait décelé dans le regard de Fogo une humanité teintée peut-être, déjà, de lassitude. Justin n'était pas certain que Fogo avait encore envie de fuir.

Manuel jetait des coups d'œil à Justin. Il ne comprenait pas son mutisme. Edson et Natacha n'y prêtaient plus attention, ils échangeaient leurs pires moments. Edson raconta une histoire invraisemblable de surf. Natacha n'en crut pas un mot. Elle jura ne s'être jamais sentie aussi minable qu'à sa sortie de chez Gorgias. Edson l'accusa de faux témoignage. Ils rirent aux éclats.

Quand ses compagnons furent prêts à partir, Justin s'arracha avec peine à sa chaise. C'était maintenant que la villa ressemblerait à une prison. Son bras droit finit de se paralyser, comme si sa conscience y siégeait. Ils montèrent en voiture. Natacha tenait dans une boîte sur ses genoux la langouste encore chaude de Fogo.

À leur arrivée, le portail était fermé. Manuel actionna l'ouverture et avança la Lexus dans le jardin. Les lanternes extérieures étaient allumées, mais aucune lumière ne sortait de la maison. Natacha descendit et appela Fogo. Elle pénétra dans la villa. Justin suivit Edson et Manuel dans le salon. Tout y était en ordre. Son bras droit pendait le long de son corps. Ils entendaient les pas de Natacha à l'étage. Elle réapparut sur l'escalier :

— Fogo est parti.

Justin massait de la main gauche son bras droit inerte. Natacha le remarqua et détourna les yeux. Justin alla dans la cuisine. Sa main valide ouvrit le tiroir où étaient rangées les clés. Il en restait une de la porte arrière du jardin, il la prit et ressortit de la maison. Il trouva la porte fermée à double tour. Une vague de soulagement l'assaillit, suivie d'une autre, encore plus forte, de culpabilité.

— Comment Fogo est-il sorti si les deux portes sont fermées à clé?

Justin se retourna, Edson l'avait rejoint. Il ne répondit pas, mais déverrouilla la porte et sortit. Il fouilla à tâtons le sable et en tira une autre clé. Il la brandit devant Edson.

— J'avais donné cette clé à Fogo.

— Tu savais qu'il allait partir?

— Je lui avais expliqué la situation. Il avait le choix entre partir ce soir seul ou attendre demain que nous le mettions à São Gonçalo dans un bus pour Juiz de Fora. Il avait de l'argent et les billets pour aujourd'hui comme demain. J'ignorais ce qu'il ferait.

— Tu savais qu'Evaldo nous suivrait?

— Je l'espérais.

— Evaldo ne te le pardonnera pas.

— Il savait que je ne lui livrerais pas Fogo.

— Mais pas que tu l'aiderais à s'évader.

— J'ai juste donné les cartes à Fogo. C'est lui qui les a jouées.

Justin croyait presque ce qu'il racontait.

— Fogo arrivera chez les religieuses en pleine nuit?

— João m'a garanti qu'il y avait toujours quelqu'un à la porte.

Justin massait encore son bras. Edson s'inquiéta:

— Ça recommence?

— C'est la tension des derniers jours.

Ils rentrèrent dans le jardin. Justin donna les deux clés à Edson pour qu'il referme la porte et les range dans le tiroir de la cuisine.

— Explique tout à Natacha et Manuel. Je vais me coucher.

Justin monta à l'étage et se mit au lit. Son bras droit se ranima, tandis que le reste de son corps s'engourdissait. Il entendait Natacha et Edson discuter au salon. Quand Edson entra dans la chambre, il fit semblant de dormir. Edson trouva vite le sommeil. Justin se tourna et retourna toute la nuit.

Un instant, il n'avait aucun doute : Gorgias n'avait jamais eu d'acheteur pour ses images, il avait sacrifié Fogo pour rien. L'instant suivant, il se rappelait l'avertissement d'Edson sur Evaldo et était certain qu'Evaldo l'avait mené en bateau : il avait composé et signé lui-même les lettres de Gorgias et Dario, avait donné à Justin une clé USB où manquaient les photos les plus dévastatrices. Fogo avait été échangé dans un marché de dupes.

Même si la clé USB contenait bien toutes les images de Natacha, ce pouvait être parce que les amis d'Evaldo étaient les acheteurs de Gorgias. Malgré la parole d'Evaldo, ils pouvaient aussi être les parrains du *Pavão* ou le gang de São Conrado. Le sacrifice de Fogo était vain, les images de Natacha seraient diffusées dès le lendemain ou exploitées plus tard, contre lui et Cariocanuck.

Justin se désespérait puis, dans son demi-sommeil, le franc sourire d'Evaldo lui apparaissait. Rassuré, il ne craignait plus d'avoir livré Fogo contre du vent, mais au contraire que Fogo ait échappé à Evaldo. La clé retrouvée dans le sable ne prouvait rien : Evaldo pouvait l'avoir utilisée pour pénétrer dans la maison car Fogo ne répondait pas à l'interphone ; il avait découvert la villa vide et Fogo déjà envolé. C'était alors la vengeance d'Evaldo qui terrifiait Justin ou, si Evaldo avait dit vrai, de l'avoir sacrifié à Fogo. Bientôt, les sourires de Fogo et d'Evaldo se superposaient et confondaient ensemble l'esprit de Justin.

Les photos et les vidéos avaient pu débuter comme un jeu entre Gorgias, Dario et Natacha, et le chantage comme une plaisanterie à ses dépens. Rejetée dix fois, cette idée le narguait à nouveau, quand une autre s'y substitua : depuis son arrivée à Rio, Natacha ne visait qu'à provoquer son père ; ses rendez-vous avec Gorgias, sa transe dans le *terreiro*, sa fugue avaient pour cible, non Justin, mais, comme la querelle du cortège officiel, Luc Desbiens. Cette évidence se fana à son tour devant la détresse de Natacha à la sortie de chez Gorgias.

Plus Justin se débattait dans son lit, plus ces questions lui semblaient insolubles : il entrevoyait les autres acteurs aussi égarés que lui dans ces trompe-l'œil, errant dans l'ignorance de leur propre but.

Justin s'emmêlait dans les mailles de son propre filet. De complot en mensonge, il n'avait pourtant voulu que bien faire, se ranger sur le bas-côté et ne pas gêner la marche du destin ; il se le répétait et n'y croyait plus.

Le soleil allait se lever quand l'épuisement offrit un répit à Justin.

Chapitre 8

Justin descendit de sa chambre. Manuel lisait *O Globo* sur le canapé du salon.

— Des nouvelles intéressantes ?

Manuel secoua la tête et lui tendit le journal. Justin le feuilleta sans trouver de photos à scandale.

— Où sont Natacha et Edson ?

— Sur la plage de Ferradura, pour faire du surf.

Justin sortit dans le jardin. Avec appréhension, il ralluma son cellulaire. Il y trouva un seul message, de François D. : « Natacha et son père dîneront ce soir avec nous à la *cobertura*. Vois avec Márcia pour le menu. »

Justin connecta son téléphone sur Internet et rafraîchit ses connaissances des préférences de Luc Desbiens. L'absence de photos de Natacha sur ses sites de ministre et député, ainsi que sur sa page Facebook, le frappa

avec une force nouvelle. Il effectua une recherche géné-
rale sous le nom de Natacha. Elle ne donna rien : si les
images de Gorgias avaient été mises en ligne, rien ne les
rattachait à elle.

Justin appela Márcia. Ils se mirent d'accord sur un tartare de thon à l'huile de *dendê* et un riz noir aux seiches.

Justin se sentait englué dans une brume de fatigue
qui ne se levait pas. Il mit un short, ses chaussures de
sport et courut secouer son corps.

Dans la rue, il ne vit ni la Passat, ni aucun sbire
d'Evaldo. Il éprouvait un sentiment bizarre, comme
ignorer le résultat d'un match de *futebol* joué la veille.
Il aurait suffi d'appeler Evaldo, mais il préférait prolonger l'incertitude : il ne savait pas quel résultat il souhaitait et le perdant serait en droit de critiquer son
arbitrage.

Pendant un kilomètre, Justin souffrit, puis les
muscles de ses jambes se délièrent et la sueur nettoya
son organisme de ses toxines. Il courut jusqu'à la pointe
de la péninsule puis redescendit vers Ossos.

À son retour à la villa, Natacha et Edson n'étaient
toujours pas rentrés. Justin se doucha, puis s'installa sur
le balcon de sa chambre. Il composa le numéro de Mauricio Murgell.

— Les problèmes de ton amie sont réglés ?

— Je voudrais m'en assurer.

— J'ai laissé traîner mes oreilles sans rien entendre.
Que veux-tu ?

Justin l'expliqua. Mauricio n'hésita pas :

— Je l'appellerai sur un cellulaire à cartes prépayées. Il n'aura aucune idée de mon identité.

Natacha et Edson réapparurent à une heure de l'après-midi. Justin somnolait dans le jardin. Natacha arborait un sourire resplendissant, Edson son air goguenard :

— Natacha est beaucoup moins douée que moi pour tomber.

Elle lui tapa sur l'épaule :

— Et beaucoup plus pour surfer.

— La chance des débutants.

Natacha se dirigea vers la maison. Edson marcha sur ses pas, puis se retourna.

— Tu as des nouvelles de Fogo ?

Justin secoua la tête.

— Tu as appelé les religieuses de Juiz de Fora ?

Justin mentit :

— Oui. Le numéro ne répondait pas.

— C'est bizarre.

— Elles priaient peut-être. Avec les religieuses, ça arrive. Hier soir, tu as parlé de Fogo à Natacha et Manuel ?

Edson acquiesça.

— Comment ont-ils réagi ?

— Je crois qu'ils n'en avaient rien à faire. Natacha était déçue qu'il ne lui ait pas dit au revoir, mais s'est consolée ce matin avec sa langouste.

Une heure plus tard, ils chargeaient leurs bagages dans la Lexus. Ils reprirent le chemin de Rio.

Edson se retourna sur la banquette arrière pour surveiller la route :

— Je ne vois aucune Passat.

Justin était assis à l'avant à côté de Manuel :

— Tant mieux.

— C'est étrange qu'ils disparaissent juste quand ils pensaient mettre la main sur Fogo.

— Fogo ne les intéressait peut-être pas tant que cela. Ou ils ont découvert qu'il leur avait glissé entre les doigts.

— Comment ?

— Ils ont pu avoir des doutes après nous avoir suivis hier soir et interroger des conducteurs de bus.

Edson chercha en vain le regard de Justin dans le rétroviseur.

— S'ils ont eu des doutes assez tôt, ils tiennent peut-être Fogo. Rappelle Juiz de Fora, les religieuses doivent arrêter de prier de temps en temps pour répondre au téléphone.

Justin haussa les épaules sans se retourner.

— João s'en occupera. Ce n'est plus mon problème.

Justin laissa son regard errer sur le paysage. L'absence d'appel d'Evaldo, sa disparition, comme de ses sbires et la Passat, semblaient indiquer qu'ils avaient bien Fogo entre leurs mains. Justin se demandait désormais si le demi-frère de Márcia n'avait pas sous-estimé les risques qu'il disait courir et auxquels Justin n'avait pas cru. Si le gang de São Conrado n'avait pas confiance en Evaldo, il pouvait être tenté de s'en débarrasser, une fois Fogo livré.

Manuel déposa ses passagers devant l'*edifício* San Marco, puis repartit vers l'aéroport. Aurelio y reprendrait le volant de la Lexus.

Edson arrêta un taxi et y monta avec son sac. Justin se pencha à la fenêtre ouverte :

— Je vais être occupé. Tu appelles João et lui expliques pour Fogo ?

— D'accord, mais ça ne t'évitera pas une explication avec lui.

Pedrinho sortit sur le trottoir et porta les sacs de Natacha et Justin. Ils montèrent à la *cobertura*. Justin visita Márcia en cuisine. Elle épluchait des poivrons. Le souper se présentait bien.

Natacha déballait ses affaires dans sa chambre. La porte était entrouverte. Justin passa la tête.

— Profite de la terrasse et de la piscine. Je monte à la *favela* m'assurer que tout est prêt pour demain.

— Je monte aussi.

Devant son air surpris, elle ajouta :

— Nous voulons être sûrs que tout se passera bien, non ?

Xuxa, Lucia, Fernanda Murgell et une foule de volontaires s'activaient dans la maison Cariocanuck.

Justin entraîna Xuxa dans la chambre du deuxième étage. Elle le regarda avec malice :

— Tu as des idées derrière la tête ?

— Beaucoup. Tu as vu Evaldo aujourd'hui ?

— Ni aujourd'hui ni depuis samedi soir. Lucia est aussi sans nouvelles.

Justin la mit au courant de ses rencontres avec Evaldo à Búzios. Xuxa composa une moue dégoûtée :

— Il se disait en mission, tous frais payés, pour retrouver Fogo et t'offrait le *café da manhã* le plus cher de la station ?

Justin acquiesça. La colère de Xuxa s'intensifia :

— Samedi, il a emporté tout l'argent mis de côté par Lucia.

— Il n'avait peut-être pas le choix. Il m'a dit qu'il risquait des ennuis avec le gang de São Conrado s'il ne livrait pas Fogo.

Xuxa haussa les épaules :

— Même si c'est vrai, tu as eu raison de protéger Fogo. Les ennuis d'Evaldo ont toujours été sa faute, et rien d'autre. Quand il n'aura plus un sou, il réapparaîtra avec un grand sourire.

Justin s'assit sur le lit :

— Il t'a parlé d'amis qu'il aurait connus en prison et qui auraient acheté des maisons dans la *favela* ?

Xuxa fronça les sourcils :

— Non, mais il raconte tant d'histoires. C'est sans doute une fable de plus, même s'il y croit. Ses seuls vrais amis sont des crapules et des voyous. Il avait des contacts avec des organisateurs du *jogo do bicho* à Rio, mais c'était avant son séjour en prison.

Le *jogo do bicho* était une loterie clandestine, dont les numéros correspondaient à des noms d'animaux et les revendeurs s'affichaient au grand jour au coin des rues. Ses promoteurs étaient souvent très populaires pour leur engagement communautaire et finançaient en sous-main plusieurs écoles de *samba*.

— Tu n'as pas eu écho de maisons vendues sous des prête-noms à des non-résidants de la *favela*?

Xuxa réfléchit longtemps:

— Je n'ai rien entendu de tel.

Justin changea de sujet:

— Tout se présente bien pour demain?

Elle sourit:

— Bien sûr. *Deus é brasileiro*[2].

Ils redescendirent d'un étage. Lucia était au téléphone. Après son appel, Justin s'isola avec elle devant la fenêtre ouverte au-dessus des rangées de toits de Copacabana. Il l'interrogea à son tour sur les amis d'Evaldo. Elle sourit:

— Il ne m'en parle pas et je préfère ne pas les connaître. Parfois, il me demande un service, j'obéis sans poser de questions.

— Il t'en a demandé quand il était en prison?

— Deux fois, j'ai eu des papiers à signer. Il m'avertissait durant mes visites. Ensuite, un homme venait à la *favela*, je signais les papiers, il les remportait.

Chaque fois que Justin croyait connaître la *favela*, il découvrait une vie souterraine qui lui échappait encore.

---

2. Dieu est brésilien.

Lucia retourna à son téléphone. Justin offrit ses services à Fernanda Murgell. Elle lui confirma d'un sourire que personne n'avait besoin de lui. Un peu vexé, Justin chercha Natacha. Postée devant la maison, elle filmait la façade avec son cellulaire.

— Qu'est-ce que tu fais ?

— Des repérages.

— Pourquoi ?

Natacha arbora un sourire mystérieux :

— Tu comprendras demain.

— Tu redescends avec moi ?

— J'ai encore à faire avec Xuxa, elle me raccompagnera.

Justin emporta avec lui l'impression d'être de trop. *Avenida* Nossa Senhora de Copacabana, il s'arrêta dans la meilleure boutique de vins du quartier. Il cherchait le bonheur de Luc Desbiens dans les rayons, quand son téléphone sonna. C'était João. Le cœur de Justin battit plus vite à l'idée de connaître le résultat définitif du match.

— J'ai téléphoné aux religieuses. Fogo n'est jamais arrivé chez elles.

Justin n'avait rien à répondre. Le silence s'installa sur la ligne.

— Comment l'expliques-tu, Justin ?

— Il est peut-être juste en retard : un bus n'est pas parti ou il a raté la correspondance. Ou il a changé d'avis. Fogo n'est pas le garçon le plus fiable au monde.

— Je crois plutôt qu'il est tombé aux mains d'Evaldo.

— Si c'est vrai, j'aurai tout fait pour l'éviter.

— Tu en es sûr?

— Moi, oui. Si tu es d'un autre avis, dis-moi pourquoi.

— Pourquoi l'as-tu laissé seul à la villa hier soir?

— Pour lui permettre de partir en secret s'il le souhaitait.

— À trois contre un, ils n'auront eu aucune peine à le maîtriser.

— Quand nous sommes allés au restaurant, la voiture d'Evaldo et ses gros bras nous a suivis.

— Ils n'étaient peut-être pas trois à l'intérieur ou ils seront revenus plus tard.

— Pour qu'ils pénètrent dans la propriété, il aura fallu que Fogo leur ouvre une des portes.

— Ou qu'ils sautent le mur.

— Il est haut de trois mètres, avec une double rangée de barbelés très acérés.

— Ils l'étaient encore ce matin?

— Je ne l'ai pas vérifié, mais, s'ils avaient été coupés, quelqu'un l'aurait remarqué. Et il n'y avait aucune trace de lutte dans la villa. Fogo n'est pas un enfant de chœur, il se serait défendu.

— Tu lui avais dit que Bota le rejoindrait à Juiz de Fora?

— Oui, mais je ne pense pas qu'il m'ait cru. Il aura peut-être compris qu'il ne pouvait plus compter sur toi

Il rentra à la *cobertura* et mit les bouteilles au réfrigérateur. Márcia lui indiqua comment réchauffer le riz noir, puis retira son tablier.

— Le père de Natacha travaille dans le bureau.

La porte de la pièce était ouverte. Luc Desbiens était assis devant l'ordinateur de François D. Justin le trouva plus vieux et fatigué que sur ses photos. Il se demanda s'il les retouchait.

— Enchanté de te connaître, Justin. Ton père est au consulat, il avait un document à finaliser. Natacha n'est pas avec toi?

— Elle prépare la visite de demain dans la *favela* avec une amie.

Luc Desbiens opina.

— Tu veux voir les images du voyage?

Justin s'approcha. L'ordinateur était connecté au site du premier ministre canadien. La page d'accueil proposait une série de vidéos de sa visite au Brésil.

— Un cinéaste et un photographe voyagent avec nous. Chaque soir, leur travail est mis en ligne. Nos adversaires prétendent que c'est de la propagande.

— Ils ont raison?

Les mêmes fossettes que chez Natacha se creusèrent aux coins de la bouche du ministre:

— Le message passe toujours plus par des images. Il serait irresponsable d'en diffuser qui nuisent à nos intérêts. Rien n'est à la fois plus superficiel et sacré qu'une image. Voler une image, c'est voler une âme. Change l'image d'une personne, elle se transformera pour coller à sa nouvelle image.

Justin suivit la délégation à Brasília, Manaus, São Paulo, dans un club de *samba*, un stade de *futebol*, au sommet du Mercosur. Prises sur le vif, sans commentaires, les vidéos donnaient l'illusion de participer au voyage.

— Nos prises de vue semblent improvisées, mais poursuivent un objectif précis. Créer une proximité entre le spectateur et les protagonistes. De la proximité à la sympathie, il n'y a qu'un pas, c'est-à-dire d'autres images. Dans un film, le cadrage, l'éclairage, le montage manipulent ta vision. Un couple se tient par la main, les yeux dans les yeux. Avec un réalisateur, la scène sera ridicule ; avec un autre, touchante ou obscène.

Luc Desbiens quitta les pages du premier ministre et effectua une recherche d'autres sites offrant des reportages sur la mission.

— Quand je suis cinéaste, la caméra m'obéit, je montre ce que je souhaite et cache le reste. Pour une délégation officielle, le danger est partout. Dès ta descente de voiture, tu es la proie des francs-tireurs. Leurs objectifs mitraillent ta calvitie et ton embonpoint.

Luc Desbiens passa en revue avec Justin les dernières photos et vidéos du voyage prises par des sources indépendantes. Ce qu'il vit lui plut.

— Sauf catastrophe demain, notre visite restera un succès.

L'arrivée de Natacha interrompit le discours de son père.

— Je te rapporte des images.

Luc Desbiens hocha la tête, puis se tourna vers Justin :

— Natacha t'a parlé de ses stages l'été à l'ONF ?

Justin fit signe que non. Natacha lui adressa un grand sourire :

— À tout à l'heure, Justin. Mon père et moi avons du travail.

. . .

— M. Dario Batista ? Vous avez, je crois, des photos susceptibles de m'intéresser.

— Qui êtes-vous ?

— C'est sans importance pour l'affaire qui nous concerne.

— De quelles photos parlez-vous ?

— Il s'agit de photos d'une jeune Canadienne.

— Natacha Desbiens ?

— Tout à fait. Sont-elles disponibles ?

Un long silence suivit la question.

— Tout dépend de l'usage envisagé.

— Il ne vous regarde pas, mais les images ne seraient pas diffusées dans les médias et votre associé, Raul Gorgias, n'aurait rien à connaître de notre transaction.

— Dans ce cas, je peux vous fournir les images.

— À combien les estimez-vous ?

— Trente-cinq mille *reais*.

— Ne plaisantez pas. Je vous ai dit que Raul Gorgias ne saura rien de notre accord.

— Trente.

— Vingt.

— Trente.

— Vingt-cinq.

— En liquide.

— Bien sûr. Vous voyez mon numéro sur votre écran ?

— Oui.

— Envoyez-moi deux photos et deux vidéos. Si vos échantillons me convainquent, je vous rappelle demain.

• • •

Comme le voyage de la délégation canadienne, le repas n'avait pas connu de catastrophe. Il n'était pas resté de riz et guère plus de Pouilly-Fuissé. Natacha et Justin avaient raconté leur semaine, François D. et Luc Desbiens avaient fait de même. Natacha avait parlé de Justin avec un enthousiasme qu'il avait dû modérer par des coups de pied sous la table.

François D. invita Luc Desbiens à s'installer dans un fauteuil devant la télévision, avec un verre de *cachaça* hors d'âge.

— J'ai gardé le meilleur pour la fin. C'est Justin qui vous l'offre.

François D. mit en marche le lecteur de DVD. Les images en noir et blanc d'une cérémonie de *candomblé* apparurent sur l'écran. Elles avaient été filmées cinquante ans plus tôt dans un *terreiro* de Salvador da Bahia par Joaquim Monteiro pour le professeur français dont il était l'assistant. Luc Desbiens oublia son verre et regarda, captivé. Les images s'interrompirent après vingt minutes.

— Le film complet dure trois heures. Il a été tourné en seize millimètres. C'était un télécinéma de sa première bobine. Il fait partie d'une collection unique d'archives audiovisuelles sur les religions afro-brésiliennes.

François D. plaça un nouveau DVD dans le lecteur et resta debout à côté de l'appareil.

— En voici un autre avant-goût.

La bande-annonce réalisée par Justin défila à l'écran. Luc Desbiens attendit sa toute fin pour goûter sa *cachaça*.

— Qui est l'auteur de ce montage ?

— Justin. Le propriétaire des archives est un vieil homme dont il est devenu l'ami. Il veut s'assurer que ses documents lui survivent. Les universités et les musées brésiliens n'ont pas les moyens de les mettre en valeur. Justin l'a convaincu que les institutions canadiennes s'y intéresseraient.

Luc Desbiens leva les yeux vers François D. :

— C'est pour l'ONF.

— Je leur ai transmis le dossier il y a six mois, j'attends depuis leur réponse.

— C'est une administration lourde, j'en sais quelque chose. Patientez.

François D. fit la moue:

— À force de patienter, nous allons perdre l'affaire. Des groupes privés américains et la Cinémathèque française sont aussi intéressés.

Il se tourna vers le canapé, où Justin était assis à côté de Natacha.

— N'est-ce pas, Justin?

Justin confirma, même si c'était faux, comme le lui avait demandé François D. «pour faire le bonheur de l'Office national du film malgré lui»:

— J'ai persuadé Joaquim que la visite du premier ministre débloquerait la situation et il a accepté de prolonger notre droit de priorité, mais, si rien ne se passe dans les prochains jours, il ira sans doute voir ailleurs.

Luc Desbiens se retourna en direction de Justin:

— Que demande ton ami?

François D. répondit à sa place:

— Il est prêt à céder l'exclusivité de l'exploitation commerciale de ses archives à perpétuité, si l'ONF s'engage à numériser leur totalité et à lui verser, puis à ses successeurs, cinquante pour cent de ses recettes d'exploitation.

— Après récupération des frais de numérisation?

François D. hocha la tête. Luc Desbiens agita doucement son verre:

— Rien d'autre?

— Que les archives portent son nom.

— C'est raisonnable.

François D. brandit quelques feuilles de papier.

— J'ai rédigé une lettre d'entente avec, en annexe, l'inventaire des archives effectué par Justin. Un contrat détaillé serait préparé par la suite, mais, la lettre préliminaire signée, la collection ne pourra plus échapper à l'ONF. Une signature demain permettrait d'annoncer l'accord lors de la conférence de presse finale du voyage. Ce serait une preuve concrète de notre intérêt pour la culture brésilienne.

L'argument porta. Luc Desbiens se leva.

— Donnez-moi votre téléphone. J'appelle mon successeur à l'ONF.

François D. fournit son appareil. Luc Desbiens sortit sur la terrasse. Il en revint après dix minutes.

— Je l'ai attrapé à un dîner. Envoyez-lui la lettre d'entente à cette adresse courriel.

Il la nota sur une carte de visite du consulat. Justin se leva et s'en saisit.

— Il signera l'accord à son arrivée au bureau et le renverra par la même voie. Tu pourras obtenir la signature de ton ami demain?

Justin acquiesça. François D. prôna une prudence démentie par son sourire:

— Si un concurrent ne lui offre pas dix millions de dollars dans la nuit.

Justin partit envoyer le courriel. À son retour,

Luc Desbiens parlait du film sur le chamanisme qu'il avait réalisé pour l'ONF :

— C'est très différent, mais la cérémonie de *candomblé* me l'a rappelé. Face aux deux, on se demande si on assiste à de vraies possessions ou à une imposture. J'ai vécu six mois avec des chamans pour mon film, je n'ai jamais été capable de le savoir. C'était le film préféré de Natacha.

Natacha acquiesça à moitié :

— C'est vrai, mais c'est vieux.

— Elle imitait un chaman à la perfection, comme si le totem de la tribu s'était emparé d'elle. Sur le coup, j'y croyais et je me pose encore des questions. Je possède une sensibilité exacerbée aux ondes visuelles, ma femme aux ondes sonores, je pense que Natacha a le don de percevoir les ondes mentales.

Luc Desbiens se retourna vers sa fille :

— Tu n'as vraiment rien ressenti lors de votre visite au *terreiro* ?

Natacha secoua la tête :

— Rien du tout.

Luc Desbiens parut déçu.

• • •

La délégation canadienne logeait au Copacabana Palace. François D. y raccompagna Luc Desbiens.

Natacha et Justin s'allongèrent dans les hamacs de la terrasse. Justin regarda le ciel ; Natacha partait le lendemain, ses questions ne pouvaient plus attendre.

— Il n'y a aucune photo de toi sur les sites de ministre et député de ton père, et sa page Facebook. Pourquoi?

Justin sentit le regard de Natacha, puis entendit sa voix aigre-douce:

— Il y a six mois, tu aurais trouvé beaucoup de photos de moi sur les sites de mon père. Surtout un très joli montage débuté à ma naissance. Mon père a du talent comme cinéaste; il aurait dû le rester. Puis, il a décidé d'avoir une page Facebook. Au moindre prétexte, il m'y mettait en vedette. C'était comme ses documentaires: la réalité, mais arrangée à sa manière. S'il expliquait que j'avais servi des repas dans une résidence de personnes âgées, il oubliait d'écrire que j'y étais avec toute ma classe, car l'école nous y avait forcées. Pour les photos, c'était aussi moi et pas moi. Il me retouchait jusqu'à peindre le tableau de la jeune fille idéale selon ses électeurs.

— Elle ressemble à quoi?

— Elle sourit au monde entier sans savoir pourquoi.

— Ça plaît aux électeurs?

— Aux siens en tout cas, ou il le croit.

— Et à tes amis?

— Il s'en moque, ils n'ont pas l'âge de voter. J'ai créé ma page Facebook. Œil pour œil, dent pour dent. Les lunettes roses chez lui, les noires chez moi. Il publiait le positif, moi le négatif: des messages le plus grossier possible, des photos laides, vulgaires, provocantes.

— Pas très drôle.

— C'est ce qu'il a pensé. Nous avons eu une explication. Il a retiré mes photos de ses sites et m'a éliminée de sa page Facebook; en échange j'ai désactivé la mienne. Il ne m'utilisait plus pour sa carrière, je m'abstenais de lui nuire.

— Alors, pourquoi l'as-tu accompagné ici?

Natacha rit:

— Parce que j'étais prête à tout pour te rencontrer.

— Quand cesseras-tu de te moquer de moi?

— Quand je ne m'intéresserai plus à toi. Ma mère a négocié une réconciliation. J'aidais la carrière de mon père, à condition d'en profiter. D'abord en découvrant Rio, et donc toi.

— Et dès l'atterrissage, les hostilités ont repris?

— À peu près.

— À quel sujet?

— Au sein de la délégation, mon père est le maître absolu de l'image. Pour la couleur de sa cravate, mon parrain lui obéit au doigt et à l'œil. Lors de notre débarquement à Rio, il avait imposé des tons ternes: nous venions du nord, de l'hiver. C'était le concept visuel du voyage: la tropicalisation progressive de la délégation. Arrivée en gris, elle repartirait aux couleurs du Brésil.

— Et toi, tu es arrivée en vert et jaune.

— J'avais mis ma tenue prévue pour le dernier jour.

— Tu la porteras demain?

— Je m'habillerais plutôt en noir, mais puisqu'il faut que tout se passe bien...

— La crise avec ton père, c'était juste ça ?

Natacha minauda :

— J'ai aussi bâillé pendant le premier discours officiel. Mon père m'a fait la remarque. À l'arrêt suivant, je me suis gratté le nez devant les journalistes. Il a explosé quand nous sommes remontés en voiture.

Justin entendit la porte d'entrée s'ouvrir. Il était trop tard pour l'essentiel.

. . .

Justin ouvrit les yeux. Natacha lui secouait l'épaule.

— J'ai envie d'un bain de minuit.

Justin regarda sa montre :

— Il est une heure du matin.

— Ne sois pas rabat-joie.

— Retourne dormir. Il faut qu'on se lève tôt.

— Dans vingt-quatre heures, tu seras débarrassé de moi. Tu dormiras tant que tu voudras.

— À une heure du matin, la baignade sur Copacabana est dangereuse, vagues ou pas.

— Je ne te demande pas d'aller sur la plage, mais de m'accompagner dans la piscine.

Justin soupira :

— Vas-y. Je te rejoins.

Il enfila un maillot de bain. Alors qu'il sortait sur la terrasse, il distingua à peine la silhouette de Natacha sur la nuit noire. Les lumières étaient éteintes, il n'y avait pas de lune, même l'auréole électrique de Rio était tamisée. Il se plaça à côté d'elle, elle tourna vers lui ses yeux clairs :

— Enlève ton maillot.

— Pardon?

— Les bains de minuit, c'est toujours sans maillot.

— Si mon père se réveille et descend de son bungalow?

— Il ne verra rien, car il fait nuit.

Natacha avait déjà dégrafé le haut de son maillot. Justin retira le sien avec un soupir et se glissa dans l'eau. Sa fraîcheur lui parut délicieuse, puis il sentit le frôlement du corps de Natacha dans son dos. Il se retourna et se trouva face à elle. Elle caressa son visage du bout des doigts et posa sur sa bouche un baiser plus léger que l'air.

Leurs corps se rencontrèrent et s'étudièrent par touches hésitantes, puis s'échangèrent des frissons. Les contacts se prolongèrent, leurs zones s'étendirent, ils se muèrent en étreintes, que la température de l'eau peina à modérer. Justin recula d'un pas :

— C'est ma récompense pour t'avoir sortie d'un mauvais pas ou ton cadeau d'adieu?

Natacha plaça sans se fâcher la main sur sa bouche.

— Arrête de poser des questions. C'est ce dont j'ai envie et qui me fait plaisir maintenant. Ça ne te plaît pas?

Justin indiqua que si. Natacha retira sa main et replaça sa bouche sur les lèvres de Justin. Il l'enlaça. Leurs attouchements reprirent, tendres, paresseux, à nouveau amortis par l'eau et la nuit. Quand Justin tenta de leur donner un tour plus intense, Natacha se replia vers le bord de la piscine. Elle sortit de l'eau et s'accouda à la rambarde. Justin se plaça derrière elle et la réchauffa entre ses bras. Ils restèrent immobiles et silencieux face à l'océan, puis Natacha se délivra.

— Je vais chercher une serviette.

Justin demeura seul et nu au-dessus de l'*avenida* Atlântica déserte, sauf deux vendeurs de tapiocas qui poussaient leurs carrioles vers un hypothétique repos.

L'éclat d'un flash éclaira son dos. Il se retourna. Natacha brandissait son téléphone et riait, une serviette de bain sur les épaules.

— Je te mettrai aux enchères sur Internet. Les profits iront à Cariocanuck.

— Tu es insupportable.

Ils s'enveloppèrent dans la serviette. Le sommeil les rattrapa, mais Justin ne voulait pas s'endormir seul.

— Tu finis la nuit dans ma chambre ?

Natacha secoua la tête.

— Pourquoi ?

— Tu le regretterais, moi aussi. Nous avons fait connaissance. Nous nous reverrons. Si nous le faisons, ce sera plus tard, comme il faut.

— Je ne comprends pas.

Natacha sourit et lui caressa la joue.

— Tu comprends très bien. Il y en a avec qui c'est sans importance. Avec toi, ça compterait.

Justin pensa à Linda. Avec elle, il s'était toujours dit que c'était sans conséquences. Pourtant, dans la bouche de Natacha, l'idée le choquait.

— Tu crois que ça comptera un jour ?

Natacha ne répondit pas.

Chapitre 9

Natacha et Justin arrivèrent à la maison Cariocanuck à neuf heures. Ils étaient les premiers. Il s'installèrent à la grande table du rez-de-chaussée. Natacha sortit une liasse de feuilles de son sac et en remit une à Justin. C'était un plan de la *favela*, marqué de croix et de flèches.

— Que représentent les croix?

— Les emplacements où travailleront le cinéaste et le photographe de la délégation.

— Ton père les a choisis hier à partir de tes repérages?

Natacha acquiesça:

— Il aura tout expliqué au cinéaste et au photographe ce matin au déjeuner.

— Les flèches?

— C'est l'itinéraire de la délégation.

Elles parcouraient presque tous les recoins de la *favela do Pavão*.

— Tu penses tout leur montrer durant l'horaire prévu pour la visite?

Natacha sourit:

— Compte sur moi. Je mènerai mon parrain à la baguette. Tout se passera bien.

La délégation canadienne se présenta à l'entrée de la *favela* à dix heures. Márcia l'accueillit en tant que présidente de l'association Cariocanuck. François D. traduisit son discours de bienvenue au premier ministre, puis le cortège grimpa dans la *favela*. L'escorte policière fit comme convenu demi-tour, les capoeiristes de l'académie Arco-Íris prirent sa relève.

À l'entrée de la maison Cariocanuck, Márcia remit une copie des clés au premier ministre.

— Vous êtes ici chez vous.

C'était une idée de François D. Justin l'avait trouvée idiote, il avait été le seul. À l'intérieur, tous les membres de la délégation reçurent un teeshirt de l'association, en jaune, bleu, ou rouge; Luc Desbiens avait mis son veto au noir et blanc.

Natacha quitta Justin pour convaincre le premier ministre d'enfiler le sien. Russell Sharpe ne résista pas. Le reste de la délégation se hâta de l'imiter. Les surplus de teeshirts furent distribués aux représentants des médias, tandis que Márcia et François D. présentaient Xuxa et Justin au premier ministre.

— Ce sont les chevilles ouvrières de l'association.

Justin accueillit le cliché de son père avec un sourire poli. Xuxa prit la suite de sa mère. Justin rentra dans le rang. Ce n'était pas son jour pour briller.

La délégation ressortit de la maison sous la conduite de Natacha et Xuxa. Elles encadraient Russell Sharpe comme deux policiers un délinquant.

Justin avait craint que la visite n'attire personne. Les habitants de la *favela* avaient été conviés à inviter des amis et des proches. Les représentants des entreprises canadiennes avaient été rameutés. Justin s'était inquiété à tort. Une foule compacte remplissait les rues. Elle se mit en branle avec le cortège. Les enfants agitaient des drapeaux canadiens.

Mestre Luisinho se matérialisa à côté de lui, l'air inquiet :

— Il y a trop de monde, et beaucoup de gens extérieurs à la *favela*. S'il y a du chahut, mes élèves et moi serons incapables d'y faire face.

Justin hésita :

— Tu veux appeler l'association des résidants à la rescousse ?

Mestre Luisinho secoua la tête :

— Ils seraient trop heureux.

— Alors ?

Un haussement d'épaules du maître indiqua qu'il s'en remettait au sort.

Les agents de la GRC et les capoeiristes ouvraient la voie à la délégation et tentaient de maintenir le public à l'écart. Dans les allées étroites et tortueuses de la *favela*, c'était un combat perdu d'avance.

Luc Desbiens s'agitait au pas de course entre la tête et la queue du cortège. Comme un maître d'école de *samba* au défilé du carnaval, il avait un horaire à respecter et devait maintenir la cohésion de ses troupes. Le cinéaste et le photographe de la délégation, un œil dans l'objectif, l'autre sur le plan de la *favela*, se frayaient un laborieux chemin de croix en croix.

Alors que Xuxa conduisait le cortège droit sur le siège de l'association des résidants, Natacha saisit Russell Sharpe par le bras et l'attira dans la direction opposée, vers l'atelier où les habitants de la *favela* fabriquaient les récipients en papier mâché dessinés par João. Comme un seul homme, la délégation emboîta le pas à son chef. Prévue de longue date, la volte-face avait été exécutée à la perfection. Les parrains du *Pavão* restèrent incrédules, la main tendue, puis les sourires tombèrent de leurs visages soudain livides. Justin craignit le pire. *Mestre* Luisinho les observait aussi. Justin le rejoignit. L'inquiétude du capoeiriste avait grimpé de plusieurs crans:

— C'est une mauvaise idée d'humilier en public l'association des résidants.

— De quoi as-tu peur?

Mestre Luisinho désigna de petits groupes d'hommes qui parlaient fort et buvaient sec.

— Ils ne sont pas d'ici, ils ont quelques verres dans le nez, il suffirait de pas grand-chose pour mettre le feu aux poudres.

— L'association des résidants n'y gagnerait rien.

— Si elle allume la mèche, elle sera ensuite capable de l'éteindre et démontrera qu'elle seule peut assurer l'ordre dans la *favela*.

Justin consulta le plan de la visite. Le cortège montait vers l'atelier de Beto où Manuel les attendait, puis se dirigerait vers le chantier presque achevé de réfection des égouts. Il se plaça sur son passage. Le cortège apparut au bout du chemin. Justin vit Evaldo s'infiltrer au premier rang des spectateurs du côté opposé. Xuxa lui lança un regard noir, mais fut contrainte de le présenter à Russell Sharpe. Les deux hommes se serrèrent la main. Evaldo avait retiré son panama. Fixé au revers de sa veste blanche, Justin reconnut le pin's du drapeau canadien, donné par Natacha à Fogo. Evaldo lui adressa quelques mots, elle sembla ne rien remarquer. Evaldo se fondit à nouveau dans la foule. Justin tenta de le suivre, mais les capoeiristes de l'académie Arco-Íris et les agents de la GRC l'empêchèrent de traverser la rue avant le passage de tout le cortège.

Justin redescendit sur la place principale de la *favela*. La foule avait grossi. *Mestre* Luisinho la surveillait, entouré d'une dizaine de ses élèves. Il y eut une bousculade, puis un début de bagarre. Trois capoeiristes se précipitèrent. Une série de *martelos* calma le jeu. Aussitôt, des cris s'élevèrent du coin opposé de la place. Quatre autres capoeiristes coururent séparer les belligérants.

Justin s'approcha de *Mestre* Luisinho:

— Tu crois que les parrains du *Pavão* commencent à mettre le feu ?

— Je ne sais pas, mais on risque de le découvrir trop tard.

Justin se dirigea vers le siège de l'association des résidants. Deux gardes en protégeaient l'entrée.

— J'aimerais parler à un de vos chefs.

Un parrain du *Pavão* se présenta quelques minutes plus tard. Justin assuma une mine désolée :

— Je regrette le malentendu sur le parcours de la visite.

Le parrain sourit :

— Les visiteurs feront, je crois, un second arrêt à la maison de votre association. Nous serons heureux de les y saluer.

Justin se mordit la lèvre, mais s'inclina avec le sourire :

— Nous serons enchantés de vous recevoir.

Alors qu'il retournait informer *Mestre* Luisinho de sa démarche, un spectacle l'arrêta net : les deux sbires qui accompagnaient Evaldo à Búzios étaient aux prises avec trois capoeiristes. Les élèves de *Mestre* Luisinho les maîtrisèrent et les fouillèrent. Ils sortirent de leurs poches deux revolvers. *Mestre* Luisinho traversa le cercle des curieux et prit les revolvers. Il en vida les barillets, puis les rendit à leurs propriétaires. Un des deux hommes passa à côté de Justin. Il le reconnut, puis le mit en joue avec son arme et appuya sur la détente :

— Boum !

Justin reçut au visage une haleine de *cachaça*.

L'homme s'éloigna en direction de son compagnon.

Justin le suivit des yeux sans comprendre, tandis qu'un parrain du *Pavão* apparaissait sur la place. Il circula parmi les groupes et parla à quelques-uns. Les incidents cessèrent.

La délégation boucla sa visite avec quarante-cinq minutes de retard. Un buffet de *petiscos* offert par la *Lanchonete* 21 l'accueillit dans la maison Cariocanuck, avec quelques privilégiés triés sur le volet. À l'extérieur, des tables avaient été installées pour le tout-venant. Justin n'était pas fier du message transmis, même au nom des impératifs de sécurité.

Trois parrains du *Pavão* se présentèrent à la porte. Ils ne subirent pas un nouvel affront et la franchirent sans encombre. Prévenu de leur visite, Luc Desbiens avait interdit l'entrée aux journalistes. Russell Sharpe mangeait de bon appétit un *pastel* au fromage. Justin présenta les nouveaux venus. Le premier ministre s'essuya les mains, puis serra les leurs. Un parrain sortit son cellulaire de sa poche pour immortaliser la rencontre. Luc Desbiens s'interposa avec le sourire :

— C'est une réunion entre amis, à l'abri de l'attention des médias. Même nos preneurs de vues n'ont pas été invités.

— Nous aimerions juste en garder un souvenir.

— Trop de souvenirs s'égarent dans les médias, les photographes de métier nous en voudraient.

Après quelques instants de silence tendu, le parrain du *Pavão* rangea son appareil. Un coup d'œil de Luc Desbiens rendit à Russell Sharpe la conscience de l'heure. Il prit congé de ses nouveaux amis. Le trio de l'association des résidants grimaça un sourire.

Márcia et François D. retrouvèrent la tête de la délégation. Une double rangée de capoeiristes les accompagna. Natacha précipita ses embrassades avec João et Edson venus lui dire au revoir, puis rattrapa le cortège en route vers Copacabana. Elle suivrait avec Luc Desbiens le reste du programme officiel de la journée.

La maison parut moins bondée. Justin s'approcha de Xuxa. Elle engloutissait une *empada* au poulet.

— Tout s'est bien passé?

Xuxa avala une dernière bouchée.

— Natacha a été parfaite. Le premier ministre lui a obéi au doigt et à l'œil, même quand son père s'énervait du retard.

Elle attrapa un *pão de queijo* sur le buffet, puis fit signe à Justin de la suivre. Il y avait moins de monde au premier étage. Elle s'assit à un des bureaux et sortit une enveloppe d'un tiroir:

— De la part d'Evaldo.

— Il a refait surface quand?

— Ce matin, pour le *café da manhã*.

— Sans dire où il était passé?

— Non. Je lui ai dit que tu te faisais du souci pour lui.

Il a souri et m'a répondu : il ne faut pas croire tout ce que Justin raconte.

Justin redescendit au rez-de-chaussée. Comme il ne voyait ni João ni Edson, il sortit. Une main se posa sur son épaule. Il se retourna et découvrit Mauricio Murgell :

— Belle réussite. Soulagé ?

Justin hocha la tête :

— Très.

— Je rentre au journal. Dès que mon article est tapé, je passe ton appel.

— Tu as vu Fernanda ? Je voudrais la remercier.

— Elle est repartie, mais c'est à elle de te remercier. Depuis qu'elle s'occupe de Cariocanuck, elle s'amuse comme une folle.

Mauricio Murgell disparut vers le bas de la *favela*. Justin croisa Linda aux bras de deux inconnus. Elle lui envoya un baiser. Justin appela Edson sur son cellulaire :

— Où es-tu ?

— Cinq mètres derrière toi.

Ils poursuivirent leur conversation sans leurs appareils.

— João est reparti ?

— Dès que Natacha s'en est allée.

— Pour ne pas me parler ?

Edson acquiesça. Ils redescendirent vers Copacabana. Presque au sortir de la *favela*, Justin repéra les sbires d'Evaldo, assis entre deux maisons avec une bouteille de *cachaça*. Il les désigna à Edson.

— S'ils nous provoquent, ne réponds pas.

— Tu les connais?

— Ils étaient à Búzios avec Evaldo.

Les deux hommes se levèrent et se mirent sur leur passage. Justin leur demanda de s'écarter. Le plus grand saisit son col de chemise:

— Tu t'es bien moqué de nous, *filho-da-puta*.

Edson s'avança. Le second, qui avait menacé Justin avec son revolver, l'écarta du bras:

— Ne te mêle pas de ça.

Justin fit signe à Edson de filer. Edson hésita, puis tenta de remonter dans la *favela*. Le second sbire l'agrippa:

— Tu ne voudrais pas manquer le spectacle.

Le grand mit un coup de genou dans les reins de Justin.

— Tu pensais nous avoir, *bastardo*.

Justin grimaça, mais son adversaire avait lâché sa prise pour le frapper. Justin se dégagea, puis esquissa quelques pas de *ginga*. Le sbire ricana et prit une posture de lutteur. Justin para deux attaques désordonnées. Son opposant était soûl, il tenait mal sur ses jambes. Justin posa les mains au sol et réussit une *rasteira*. Le gros bras roula par terre. Il se releva en rage et fonça tête baissée sur Justin. Sa charge rencontra le vide. Justin se préparait à un nouvel assaut, quand il entendit des bruits de pas. Son adversaire détala vers Copacabana. Son compagnon relâcha Edson et prit aussi ses jambes à son cou. *Mestre* Luisinho apparut avec deux de ses élèves.

— Ça va?

Justin et Edson acquiescèrent de conserve.

— Tu vois que la *capoeira* sert à quelque chose.

Justin sourit.

— Qu'est-ce qu'ils te voulaient?

— Je ne sais pas.

Mestre Luisinho les accompagna au bas de la *favela*. Le costume blanc d'Evaldo s'affichait à une table de la *lanchonete* Tocantins. Evaldo avait remis son panama sur la tête et tournait le dos à Justin. Un homme lui faisait face. Justin le reconnut: l'Indien. Justin fut tenté de traverser la rue pour des explications, mais continua avec Edson vers l'*edifício* San Marco.

— Les deux types semblaient t'en vouloir de ne pas avoir livré Fogo.

Justin haussa les épaules en signe d'ignorance.

— João est persuadé que tu as remis Fogo à Evaldo. Tu le sais?

— Il ne l'a pas dit comme ça, mais je m'en doute. Et toi?

— Moi, je m'en moquais, mais je me disais: pourquoi pas? Maintenant, avec l'agression des deux types, je convaincrai peut-être João qu'il se trompe.

Ils se séparèrent devant la terrasse de Lucas. Edson gémit:

— Épuisantes, ces supposées vacances. Ton père pourrait demander au proviseur deux jours de rallonge pour nous remettre?

Justin secoua la tête sans ambiguïté:

— Probabilité zéro.

— Alors à demain. Si je me réveille.

La *cobertura* sembla très vide à Justin. Il s'enferma dans sa chambre et ouvrit l'enveloppe d'Evaldo. Elle contenait une clé USB et un mot :

« La vidéo tournée chez Gorgias. Pour te prouver que, moi, je tiens mes promesses. »

Justin tenta de comprendre. La note insinuait qu'il n'avait pas tenu ses engagements, donc qu'Evaldo n'avait pas trouvé Fogo à la villa. L'attitude des deux gros bras pouvait avoir la même cause. Pourtant, Evaldo arborait au revers de sa veste le pin's que Natacha avait épinglé devant Justin sur le teeshirt de Fogo, ou sa copie conforme. Evaldo semblait aussi en pleine forme et dans les meilleurs termes du monde avec l'Indien, donc le gang de São Conrado. Surtout, Fogo n'était jamais arrivé à Juiz de Fora.

Justin composa le numéro d'Evaldo sur son cellulaire, puis annula l'appel avant qu'il laisse de trace.

. . .

— À qui avez-vous parlé de notre transaction ?

— À personne.

— Vous mentez.

— Je ne suis pas fou.

— Alors, vous êtes sur écoute.

— C'est vous qui êtes fou.

— Avez-vous tenté de me rappeler sur ce numéro ?

— Bien sûr que non.

— Pourtant, ils m'ont retrouvé.

— Qui ?

— Ils étaient trois à m'attendre, ce matin dans mon bureau.

— À quoi ressemblaient-ils ?

— Un meneur en costume blanc, plus deux gros bras. Ils avaient accédé à mon ordinateur et trouvé vos images.

— Vous avez parlé ?

— Ils ne m'ont rien demandé. Ils connaissent votre nom. Ils ont tout cassé, puis sont partis. Avant, ils m'ont prié de vous saluer de leur part.

. . .

Justin retrouva le sourire devant son ordinateur : le directeur de l'ONF avait répondu, le contrat était signé et n'avait pas été modifié. Il imprima quatre exemplaires de la lettre d'accord et les apporta à la boutique de Joaquim.

Le vieil homme les signa sans les lire.

— Ne te plains pas ensuite d'avoir été abusé.

Joaquim sourit :

— C'est juste une entente de principe et les principes sont bon marché. Je lirai quand les avocats de l'ONF inventeront cinquante pages de clauses pour s'en libérer. Ils exigeront ma garantie qu'aucun document n'enfreint le droit à l'image de personne et leur liste des frais récupérables par l'ONF avant le versement de royal-ties sera plus longue que l'hiver québécois.

Justin avait escompté un accueil plus enthousiaste, il se renfrogna :

— Si la lettre ne vaut rien, pourquoi ne l'as-tu pas déchirée au lieu de la signer ?

— Car elle ne vaut rien, mais est déjà formidable. Je veux juste t'éviter d'être déçu quand les vraies négocia-tions débuteront et traîneront en longueur.

— C'est toi qui étais pressé. Ce sont tes archives.

Joaquim accentua son sourire :

— Tu sais bien qu'un jour, ce seront les tiennes.

Justin l'avait espéré et même s'y attendait. Il tenta de paraître surpris et ne parvint qu'à rougir. Il chercha une réponse appropriée et n'en trouva pas. À la recherche d'une contenance, il alluma son téléphone. Il avait reçu un message texte de Mauricio Murgell : « Le cochon est à point. »

Justin leva les yeux vers Joaquim :

— Tu pourrais me rendre un service ?

— Tout ce que tu voudras.

Justin raconta de quoi il s'agissait. Joaquim rayonna :

— *Le Parrain*, avec Marlon Brando, est mon film préféré.

Comme Justin ne comprenait pas, il ajouta :

— C'était des lustres avant ta naissance.

Justin avait jeté quelques phrases sur une feuille. Il la lui tendit.

— C'est mon texte?

Justin acquiesça :

— Les grandes lignes. Tu peux improviser.

Joaquim parcourut plusieurs fois la feuille. Il l'annota, répéta des passages à mi-voix, puis composa sur son téléphone le numéro inscrit à son bas. Après trois sonneries, il entendit un « allo » hésitant et asséna son message.

— Monsieur Dario Batista, arrêtez de tenter le diable, à plus forte raison moi et mes amis, ou vous ne ferez pas de vieux os.

Justin sourit. Joaquim parlait avec une voix de gorge et des accents de jugement dernier.

— Dès que vous croyez que nous avons le dos tourné, vous reniez vos engagements. C'est une grosse erreur. Notre dos n'est jamais tourné. Commettez une erreur de plus, dans deux minutes, trois jours ou trente ans, ce sera la dernière.

Justin craignit que Joaquim en fasse trop.

— Le numéro affiché sur votre écran n'a rien à voir avec moi. Rappelez-le, vous n'en composerez jamais d'autre. Mentionnez mon appel à quiconque, ce sera votre dernière indiscrétion. Adieu, Monsieur Batista. Votre sort est entre vos mains, ne l'échappez pas.

Joaquim coupa la communication.

— Je ne pensais pas que terroriser était si agréable. Je comprends que cela devienne une drogue.

Justin remballa trois des quatre exemplaires de la lettre.

— Il faut que j'y aille.

Joaquim le retint de la main.

— J'ai eu des échos de votre soirée à Duque de Caxias.

Justin grimaça :

— Natacha s'est comportée comme une idiote.

Joaquim prit son expression de bouddha malicieux.

— Ce n'est pas ce que j'ai entendu.

Justin l'observa avec surprise, Joaquim continua :

— L'*ekedy* qui a pris soin de Natacha après sa crise est une vieille amie. Elle est venue lundi acheter des fournitures pour son *terreiro*. D'après elle, Natacha ne jouait pas la comédie.

— Qu'en sait-elle ?

— Depuis trente ans, elle a participé à des centaines de cérémonies et a secouru des dizaines de supposées victimes de transes sauvages. Les imposteurs n'ont pas de secret pour elle, elle ne classe pas Natacha dans cette catégorie.

— Mais ton amie l'*ekedy* a l'expérience des prises de possession par les *orixás* du *candomblé*. La transe supposée de Natacha aurait été provoquée par un *exu* de l'*umbanda*.

— Les caractéristiques de la sortie de transe sont identiques dans les deux cas. Selon mon amie, certains signes ne peuvent être feints. Le relâchement musculaire après l'évanouissement, la suspension des mouvements réflexes, la chute de tension et de température corporelle. Natacha aurait montré tous ces symptômes. Elle aurait aussi vomi sans reprendre connaissance, puis serait revenue à elle dans une plénitude morale et physique hors d'atteinte des imposteurs.

Justin sourit :

— Tu n'étais pas présent, mais tu affirmes que Natacha a eu une transe ?

— J'ignore si l'*exu* Leonidas a pris possession de Natacha, mais sur la foi de mon amie, je crois que Natacha a expérimenté un état de conscience altéré.

— Ou les conséquences d'un mélange d'alcool et de médicament.

— Même si Natacha a tenté de provoquer le phénomène ou avait l'intention d'imiter une transe, le processus, à un instant, a échappé à son contrôle. Son niveau de conscience s'est modifié.

Justin fixa sur Joaquim un regard perplexe :

— Supposons que ce soit vrai. Pourquoi me dis-tu ça ?

— Pour que tu mettes Natacha en garde. C'est un don d'accéder à des états de conscience modifiés. Tout le monde ne devient pas *filho* ou *filha de santo*. Mais c'est un don dangereux s'il n'est pas contrôlé. L'initiation et les rites du *candomblé* font partie de ces contrôles. L'*umbanda* aussi offre des garde-fous, au sens strict, qui gèrent les passages entre les niveaux de conscience.

Justin pensa à nouveau à la mère d'Edson :

— Des garde-fous qui peuvent en créer des vrais.

— S'ils ne correspondent pas à ta culture. Conseille à Natacha de consulter un psychologue ou un psychiatre. Ce sont les garde-fous occidentaux.

— Je lui ai déjà dit de ne pas jouer avec les possessions.

— Répète-le-lui. Surtout avec les possessions par l'*exu* Leonidas.

La curiosité de Justin l'emporta sur son agacement :

— S'il existe un *exu* Leonidas et s'il a possédé Natacha, en quoi est-il si dangereux ?

Joaquim sembla tiraillé :

— Je parle au nom de mon amie, pas au mien. Tu le comprends ?

Justin acquiesça. Joaquim aurait aimé séparer les faits de la légende, mais ils ne faisaient qu'un :

— Le *quilombo* de Leonidas, sa république d'esclaves, a résisté six ans à l'armée, de 1864 à 1870. Grâce à une stratégie dont le principe était la folie. Les décisions les plus folles ont valu à Leonidas ses plus belles victoires et les désastres qui anéantissaient leurs fruits. À raisonner en fou, Leonidas l'est devenu. Pendant six ans, tous les mois, un photographe a pris son portrait, dans la même pause, vêtu du même costume militaire. Leonidas les étudiait et lisait dans ses propres yeux les mouvements de sa prochaine campagne. Les portraits ont été préservés. De l'un à l'autre, tu vois le progrès de la folie. Leonidas posait pour le soixante-neuvième, quand il s'est tiré une balle dans la tête. À l'époque, le temps d'impression des plaques photographiques était si long que, sur l'image floue de son visage, tu suis la mort au ralenti.

. . .

Le gouverneur de l'État de Rio de Janeiro faisait ses adieux à la délégation canadienne dans le salon d'honneur de l'aéroport Antonio Carlos Jobim. Justin présenta son carton d'invitation aux gardes à l'entrée. Un jeune chef de cabinet tenait compagnie à Natacha. Il s'inclina avec le sourire quand elle l'abandonna pour Justin.

— Sortons d'ici.

Justin emmena Natacha dans l'aire des départs. Ils trouvèrent une table tranquille dans une cafétéria. Une serveuse se présenta. Ils lui dirent qu'ils n'avaient besoin de rien. Natacha regarda Justin avec sérieux :

— Tout s'est bien passé ce matin ?

Justin hocha la tête :

— Mieux que bien.

— Les amis d'Evaldo ont été du même avis ?

Justin sortit de sa veste la lettre signée par Gorgias et Dario. Natacha grimaça devant les phrases en portugais :

— Ça veut bien dire qu'ils m'avaient droguée et que je ne savais plus ce qui m'arrivait ?

Justin acquiesça.

— Juré ?

— Juré.

Natacha plia la lettre et la rangea dans son sac.

— Maintenant que tu as cette confession, que vas-tu faire des images de la clé USB ?

— En tout cas, pas courir en pleurs chez un juge.

— Désormais, même si les images paraissent, ton honneur est sauf. Vas-tu les détruire ou les conserver ?

— Je ne sais pas.

— Tu ne vas pas les utiliser contre ton père ?

Natacha sourit :

— Ne me donne pas de mauvaises idées.

Justin insista, c'était sa dernière occasion d'en avoir le cœur net, même si, avec Natacha, avoir le cœur net semblait hors de portée.

— Chez Gorgias, c'est toi qui as eu l'idée des photos pour régler tes comptes avec ton père ?

Elle secoua la tête :

— Je ne suis pas si perverse, mais c'est vrai, au début, quand les photos restaient innocentes, j'ai pensé à les utiliser pour le faire enrager.

Natacha sourit :

— Et, puis, ils m'ont droguée, j'ai perdu les pédales, tu connais la suite.

Justin ne connaissait pas la suite et ne la connaîtrait jamais ; pourtant, il hocha la tête.

— Tu crois que l'acheteur de Gorgias pouvait être ton père ?

Natacha fit la moue, puis secoua la tête :

— J'y ai songé, mais Gorgias n'aurait pu le joindre

assez vite. Il serait passé par son adresse courriel de député ou de ministre. Les assistants de mon père y relèvent les messages, mais ils ne travaillent pas le dimanche.

Natacha sourit à ses dépens :

— Et j'en aurais vite entendu parler. Mon père n'aurait pas gardé ça pour lui.

Les haut-parleurs annoncèrent l'embarquement immédiat du vol Air Canada pour Toronto et Ottawa. Natacha aussi avait des questions à solder :

— La disparition de Fogo a quelque chose à voir avec moi ?

Justin tressaillit :

— Si je te disais oui, cela changerait quoi ?

— Je serais heureuse que tu m'aies préférée à lui.

Justin se tut. Natacha finit sa réponse :

— Même si les images n'étaient pas si atroces.

Justin lui adressa un regard horrifié :

— Comme tu disais au restaurant, juste un peu floues et de ton mauvais profil 0 ?

— Non, mais, regardées sur la clé USB, elles m'ont paru moins horribles que dans mon souvenir.

— Parce que les plus horribles n'y seraient pas ?

— À mon avis, elles y sont mais, la première fois, j'avais réagi comme mon père : je les avais trouvées obscènes, car elles étaient laides, comme les photos de ma page Facebook. Ce qu'elles montraient n'était pas si abominable.

La voix de Justin vacilla :

— Après les avoir revues, si quelqu'un menaçait de les diffuser, tu le laisserais faire ?

Le désarroi de Justin sauta aux yeux de Natacha, elle secoua la tête avec violence :

— Je ne voudrais toujours pour rien au monde qu'elles paraissent, mais je ne veux pas davantage que tu les imagines pires qu'en réalité.

Le cœur de Justin se souleva à l'idée d'avoir peut-être sacrifié Fogo à une question d'esthétique. Natacha sortit un iPod de son sac :

— Il était dans la chambre de Fogo. Ça m'étonne qu'il l'ait oublié, s'il est parti de son plein gré. Quand il réapparaîtra, tu le lui rendras ?

Justin acquiesça et tendit le bras vers l'appareil, mais Natacha l'avait allumé et manipulait ses commandes.

— Il écoutait toujours la même chanson. Il voulait que je l'écoute aussi. À chaque fois, il me répétait « *Você Maria, Justin João*[3] ».

Natacha tendit l'iPod à Justin :

— Dis-moi ce qu'elle raconte.

Justin enfonça les écouteurs dans ses oreilles. Il reconnut la voix de Chico Buarque et la ballade sentimentale entêtante dont les échos avaient semblé accompagner Fogo partout :

---

3. Toi Maria, Justin Jean

Agora eu era o herói
E o meu cavalo só falava inglês
A noiva do cowboy
Era você
Além das outras três

Agora eu era o rei
Era o bedel e era também juiz
E pela minha lei
A gente era obrigada a ser feliz
E você era a princesa
Que eu fiz coroar
E era tão linda de se admirar
Que andava nua pelo meu país [4]

Le regard de Justin glissa sur l'écran du iPod. La chanson s'appelait: *João e Maria*.

Justin arracha les écouteurs comme s'ils le brûlaient. Il éteignit l'appareil.

— C'est juste une histoire de cow-boy.

Le visage de Justin s'était fermé comme une porte.

---

4. Alors, j'étais le héros
Et mon cheval ne parlait qu'anglais
Et toi, tu étais la fiancée du cow-boy
En plus des trois autres.

Alors, j'étais le roi
L'huissier et aussi le juge
Et ma loi obligeait les gens à être heureux
Et tu étais la princesse que je fis couronner
Et qui était si belle à admirer,
Qu'elle se promenait nue dans mon pays.

Natacha n'en demanda pas plus. Les haut-parleurs appelèrent une dernière fois les passagers du vol Air Canada à l'embarquement immédiat.

— Tu as décidé de rester ici?

— L'avion ne décollera pas sans moi. Et ça exaspère mon père que j'embarque au dernier moment.

— Votre journée ensemble s'est bien passée?

— Très. Son concept tropical s'est conclu sur un arc-en-ciel: celui du polo du premier ministre.

Justin se souvint de la lettre d'accord entre Joaquim et l'ONF. Il en tira deux exemplaires de son sac à dos et les remit à Natacha.

— N'oublie pas de les donner à ton père.

— Si j'oublie, il me les demandera. Il a déjà fait l'annonce en conférence de presse.

Même si les accords de principe ne valaient rien, Justin pensa que l'ONF aurait désormais du mal à reculer, mais Natacha avait déjà changé de sujet.

— Ne t'attends pas à recevoir de mes nouvelles. Tu n'en auras pas et je ne veux pas que tu m'en donnes.

Justin crut à une dernière provocation pour le mettre en boule. Natacha continua:

— Quand je suis à Ottawa, je suis à Ottawa. Quand je suis à Rio, je suis à Rio. Le reste du monde n'existe plus. Les gens qui l'habitent non plus. Nous nous sommes rencontrés, nous nous connaissons, nous nous retrouverons. Ce jour-là, je serai très heureuse. Mais seul le présent m'intéresse. Le passé est enterré; l'avenir, je n'y pense pas. Dès que je serai dans l'avion, tu appartiendras à mon passé et à mon avenir, mais tu disparaîtras de mon présent. Nous nous donnerions des nouvelles sans être capables de les partager.

Natacha se leva. Justin la suivit, sonné. À nouveau, il ne comprenait plus.

Les haut-parleurs prièrent Natacha Desbiens de se présenter de toute urgence au salon d'honneur.

Justin appliqua la loi du talion.

— Au *terreiro* de Duque de Caxias, tu as peut-être subi une vraie transe.

Natacha reçut la nouvelle sans surprise :

— Tu vois, parfois il faut me croire. Qui pense cela ?

— La vieille femme qui s'est occupée de toi. Elle voulait que je te mette en garde. Il ne faut pas plaisanter avec les états de conscience altérés. Tu devrais consulter un psychiatre.

Natacha éclata de rire. Justin pensa qu'elle devrait vraiment suivre son conseil.

— Quand je jouais au chaman, mes parents m'ont conduite en quatrième vitesse chez un psychiatre.

— Qu'a-t-il dit ?

— Que je jouissais d'une imagination débordante qu'il serait criminel d'endiguer.

Un agent de l'aéroport attendait à l'entrée du salon. Il entraîna Natacha au pas de course. Elle agita la main sans se retourner, puis disparut. Justin resta une fois de plus seul, frustré d'un véritable au revoir et triste.

Justin observa l'horloge du salon d'honneur. François D. était reparti depuis longtemps avec Aurelio dans la Lexus. Il se dirigea vers l'arrêt du bus pour la *Zona Sul* et monta dans le véhicule en stationnement. Il s'assit, sortit l'iPod de Fogo de son sac et s'enfonça les écouteurs dans ses oreilles. Chico Buarque se remit à chanter :

Não, não fuja não
Finja que agora eu era o seu brinquedo
Eu era o seu pião
O seu bicho preferido

Agora era fatal
Que o faz-de-conta terminasse assim
Pra lá deste quintal
Era uma noite que não tem mais fim
Pois você sumiu no mundo
Sem me avisar
E agora eu era um louco a perguntar
O que é que a vida vai fazer de mim [5]

---

5. Non, non, ne t'enfuis pas
Fais comme si j'étais ton jouet,
Ton pion ou ton animal préféré.

Maintenant, c'était fatal
Que notre jeu de rôle se termine ainsi
En dehors de ce jardin, la nuit n'a plus de fin
Car t'as disparu du monde sans crier gare
Et maintenant je suis un fou qui demande
Ce que la vie fera de moi.

Chapitre 10

Mestre Luisinho lut une frustration commune dans les visages de Justin et Xuxa. Il les opposa dans le dernier affrontement de la soirée. Leur lutte fut âpre et pauvre en *malícia*. Poussés par les tambours et les *berimbaus*, les adversaires se rendirent coup pour coup. Encaisser les soulageait autant que frapper. Xuxa était plus habile, Justin plus puissant. La *capoeira angola* redevenait un combat de rues. Pourtant, ils ne se battaient pas l'un contre l'autre, mais se défoulaient en duo.

Le chant de *Mestre* Luisinho s'éteignit sur une dernière vibration des *berimbaus*. Les tambours s'arrêtèrent de battre, les *agogôs* tintèrent une ultime fois. Xuxa et Justin se saluèrent de la tête, vidés et régénérés. Le cercle se rompit.

François D. se dirigea vers *Mestre* Luisinho. Justin et Xuxa le suivirent. Dans la nuit de dimanche à lundi, deux membres de l'académie Arco-Íris de garde sur le chantier des égouts avaient été agressés. Battus à coups de barres de fer par cinq inconnus, ils étaient à l'hôpital. Rien n'avait été volé, mais le site avait été vandalisé. Au lieu de se conclure à la fin de la semaine, les travaux dureraient quinze jours de plus.

Mestre Luisinho et François D. parlaient à voix basse. Les deux victimes se portaient mieux. L'une avait deux côtes brisées, l'autre une commotion cérébrale. L'association des résidants avait à nouveau offert ses services. Stephen, le chef de chantier, avait refusé sa protection. Il passait désormais ses nuits sur le site avec des ouvriers.

François D. et *Mestre* Luisinho tournèrent autour de l'essentiel. Tout le monde le connaissait et le taisait : l'association des résidants avait présenté sa facture pour l'humiliation subie lors de la visite canadienne.

François D. remonta avec Xuxa et Justin vers les lumières de l'*avenida* Atlântica. Il ne proposa pas un verre à la terrasse de Lucas. Xuxa fit signe à Justin qu'elle devait lui parler. Ils s'assirent sur un banc. François D. rentra seul à la *cobertura*.

— Une rumeur dit que Cariocanuck est pire que l'association des résidants de la *favela*.

Xuxa avait parlé d'une voix désabusée. La rumeur sembla à Justin l'écho de ses propres inquiétudes.

— Depuis quelques jours, des filles murmuraient dans mon dos au collège. Aujourd'hui, une amie m'a tout raconté. L'oncle d'une élève possédait une maison dans la *favela*. Il la louait à six familles. Il y a quatre mois, il l'a vendue. L'acheteuse serait Lucia. Elle servirait de prête-nom à ma mère et moi. Nous utiliserions Cariocanuck pour nous enrichir.

— Tu as parlé à la fille qui prétend cela?

Xuxa secoua la tête:

— Pas encore.

— Tu penses que l'histoire a un fond de vérité?

— Ça colle avec ce dont t'a parlé Evaldo.

— Ses amis qui auraient investi dans la *favela*?

— Oui. Et les papiers signés par Lucia.

— Pourquoi la rumeur sort-elle maintenant?

Xuxa sourit:

— On a dit tant de bien de Cariocanuck ces derniers jours que le vendeur n'aura plus réussi à tenir sa langue.

— Tu n'as pas interrogé Lucia non plus?

— Je suis sûre qu'elle ne sait rien.

Justin accepta la certitude de Xuxa sans la partager. Lucia devait au moins avoir des doutes. Fermer les yeux sur les combines d'Evaldo lui permettrait d'en profiter en toute innocence.

— Avant de confronter Evaldo, je dois en découvrir davantage. Sinon, il niera tout.

— Il joue toujours aux courants d'air?

Xuxa hocha la tête:

— À chaque fois qu'il réapparaît, il est tout sourire. Il dit courir après le temps perdu en prison et un travail qui fera bientôt de lui un père et un mari modèles.

Justin n'avait pas parlé à Evaldo depuis Búzios. Ils s'étaient vus de loin, dans la *favela* ou les rues de Copacabana, et s'étaient évités avec soin.

Justin remonta à la *cobertura*. François D. avait pris sa guitare et transformait ses soucis en décibels sur la terrasse. Justin s'enferma dans sa chambre avec son ordinateur. Natacha avait tenu parole. Elle n'avait donné aucun signe de vie depuis son retour à Ottawa. Comme un pis-aller, Justin se rabattait sur les sites de Luc Desbiens. Les portraits de Natacha les ornaient à nouveau. Justin aurait aimé qu'elle ressemble un peu à la jeune fille romantique des photographies. Justin visionna encore une fois le montage qui résumait la vie de Natacha en cent cinquante images. Il se sentit voyeur : il n'accepterait pas d'être ainsi exposé, en langes, une tétine à la bouche, ou même en jeune homme idéal, sur le site de sa mère, si elle se lançait en politique.

Natacha avait aussi repris place sur la page Facebook de Luc Desbiens. De longs messages illustrés d'images prises durant la visite de la *favela* expliquaient que Natacha avait passé ses dernières vacances comme bénévole dans un quartier défavorisé de Rio de Janeiro. Natacha n'avait pas réactivé sa propre page Facebook et ne contredisait pas cette version de son séjour brésilien par le récit de sa nuit chez Gorgias et des photographies moins valorisantes.

Le site du ministre mettait aussi à l'honneur les archives de Joaquim. La bande-annonce de Justin y était accessible. C'était la bonne nouvelle des huit derniers jours : l'ONF avait transmis un projet de contrat de vingt pages, Joaquim l'avait lu sans trouver à y redire.

Justin éteignit son ordinateur et se coucha.

Le lendemain matin, il monta avec son père dans la Lexus conduite par Aurelio. Justin reprenait l'habitude de se rendre au lycée en voiture. Le jeudi précédent, un message texte de João l'avait informé qu'un imprévu l'empêcherait de prendre le bus avec lui. L'imprévu se répétait depuis, chaque matin.

Quand Justin entra dans la classe, João évita son regard. Il s'asseyait désormais seul au dernier rang. À midi, Justin et Edson descendirent au *largo do Machado*. Justin mastiqua son *esfiha* d'un air morose :

— João va me faire la tête jusqu'à ce qu'on retrouve Fogo ?

— Pas si longtemps, j'espère.

Personne n'avait de nouvelles de Fogo. Justin était chaque jour moins pressé d'en recevoir. Edson soupira :

— João n'est pas *monginho* pour rien, il peut rester longtemps sans dire un mot à personne.

Justin continua à manger et ruminer. Son téléphone sonna. Le numéro lui était inconnu. Il replaça son *esfiha* dans son sac en papier et prit l'appel.

— Inspecteur Cardoso, de la Police civile. J'aimerais vous rencontrer à propos d'un cas dont j'ai la charge.

Justin se leva et mit quelques pas entre lui et Edson.

— Ne vous inquiétez pas. Il n'y a rien de grave. Du moins, je ne crois pas.

Justin rassembla un souffle de voix:

— De quoi s'agit-il?

— Je vous l'expliquerai de visu. À quelle heure s'achèvent vos cours au lycée français? Je peux vous y attendre en voiture.

Justin s'éloigna un peu plus d'Edson:

— Je préfère venir vous rencontrer.

— À votre choix. Je suis au commissariat de police de Catete.

Justin nota l'adresse, puis referma son téléphone. Ses yeux fixaient sans la voir une jeune fille qui lui souriait en retour. La voix d'Edson le ramena en partie à lui:

— C'était quoi?

Justin esquissa un geste de la main:

— Rien de grave.

— Alors ne fais pas cette tête.

Le commissariat était situé sur la *rua* de Catete, face à la blancheur aveuglante de l'église da Glória. L'inspecteur Cardoso partageait son bureau avec trois collègues. Il avait une trentaine d'années et perdait ses cheveux. Justin s'assit face à lui et tenta de le trouver sympathique. Le policier pinça les lèvres, comme s'il avait le mauvais rôle.

— Je cherche à identifier un cadavre.

Justin tressaillit. L'inspecteur se hâta d'ajouter:

— Ce n'est sans doute pas un de vos proches, mais je crois que vous pouvez m'aider.

— Pourquoi?

L'inspecteur poussa sans un mot un classeur devant Justin et l'ouvrit. La réalité rattrapa Justin. Sur la photographie en noir et blanc, la tête de Fogo paraissait moins grosse. Il avait les yeux fermés et semblait paisible malgré les ecchymoses qui couvraient son front et ses pommettes.

— Vous le connaissez?

Justin réfléchit. Mentir lui sembla au-dessus de ses forces. Il hocha la tête:

— Un peu, surtout de vue.

— Comment s'appelle-t-il?

— Je connais juste son surnom, Fogo.

Justin sentit le besoin d'expliquer:

— Il traînait toujours avec un autre *rapaz*, Bota.

Il s'en voulut avant d'avoir fini sa phrase. Il tourna les pages et vit d'autres photos de Fogo. Elles se ressemblaient toutes. Il referma le classeur et le repoussa vers le policier pour l'effacer de sa mémoire. Justin avait peur:

— Pourquoi pensiez-vous que je le connaissais?

L'inspecteur Cardoso semblait soulagé, comme si le mauvais moment était passé.

— Nous avons trouvé votre numéro de téléphone sur lui. Vous le lui aviez donné?

Justin secoua la tête:

— Non. Je ne savais même pas qu'il avait un cellulaire.

— S'il en avait un, nous ne l'avons pas trouvé. Vous le connaissiez surtout de vue. Qu'est-ce que cela signifie?

Justin hésita. L'inspecteur Cardoso continua à jouer au policier bienveillant :

— Quand votre opérateur téléphonique m'a indiqué votre identité et que j'ai vérifié qui vous étiez, j'ai cru à une erreur.

Justin hocha la tête. Une longue suite d'erreurs l'avait mené dans ce bureau. Il ne voulait pas l'allonger.

— Fogo était un *rapaz* des rues. J'habite Copacabana, je l'ai croisé quelques fois là-bas. Je suis aussi membre d'une association qui travaille dans la *favela do Pavão*. Des habitants de la *favela* connaissaient Fogo. Par eux, j'ai appris son surnom et je lui ai parlé de temps en temps.

— Votre association s'appelle Cariocanuck ?

Justin regarda l'inspecteur avec surprise :

— Comment le savez-vous ?

— Il a beaucoup été question de vous, dernièrement. Vous faites du bon boulot.

Justin rayonna de fierté idiote. Il eut envie d'aider le policier :

— Je crois que Fogo venait de São Conrado. Vos collègues là-bas doivent connaître son vrai nom. Il aura sûrement eu affaire à eux.

— Sa photo n'apparaît pas dans les fichiers centraux, sans doute car il n'a jamais été l'objet de plaintes formelles.

Le policier releva brusquement la tête vers Justin :

— Quand l'avez-vous croisé pour la dernière fois ?

Justin fit semblant de creuser sa mémoire. S'il mentionnait Búzios, il ouvrirait une boîte qu'il ne pourrait plus refermer.

— Il y a environ deux semaines, je l'ai croisé sur l'*avenida* Nossa Senhora de Copacabana. Je redescendais de la *favela do Pavão*.

— Vous vous êtes parlé ?

— Juste bonjour, *tudo bem*.

Justin ajouta le détail qui ne s'invente pas :

— Il avait un iPod. Il voulait me faire écouter une chanson.

— Il n'a pas demandé votre numéro de téléphone ?

Justin secoua la tête.

— Je m'en souviendrais.

— Pourquoi aurait-il voulu vous appeler ?

Justin arbora un air encore plus désolé :

— Il savait que je m'occupais de Cariocanuck, il a pu penser que je pourrais l'aider.

L'inspecteur Cardoso opina, comme si Justin confirmait ses propres déductions, puis prit quelques notes. Il y eut un silence. Justin se sentit le droit d'interroger à son tour :

— Où avez-vous retrouvé son corps ?

Le policier ne prétendit pas que son enquête était confidentielle :

— Dans une décharge illégale de Cosme Velho, en montant vers le Corcovado. Les gens y jettent leurs déchets de la route, cinquante mètres plus haut. Il y a une aire de stationnement avec un point de vue sur la ville. La nuit, l'endroit est désert.

Justin s'enhardit :

— Si vous enquêtez, cela veut dire qu'il a été tué ?

L'inspecteur pianota de l'index sur sa table :

— L'autopsie a été incapable de trancher. La plupart des marques sur son visage et son corps n'ont rien à voir avec la chute. Il a été battu alors qu'il était vivant. Son cadavre porte la trace de deux blessures mortelles : une fracture du crâne qui a touché le cerveau et une rupture de la moelle épinière. La seconde aurait été provoquée par la chute ; pour la première, c'est moins sûr.

Justin frissonna, une chair de poule envahit ses avant-bras :

— Il aurait été tué, puis balancé comme une ordure ?

— Ou jeté vivant par-dessus la rambarde. Il y a peu de chances qu'il se soit rendu au point de vue par ses propres moyens et soit tombé tout seul. En revanche, il a pu chuter en tentant de s'échapper.

Justin sentit une sueur glacée sur son front. Il se vit coupable de non-assistance à personne en danger ou de complicité de meurtre. Il ne songea plus qu'à partir.

— Vous avez encore besoin de moi ?

L'inspecteur Cardoso sembla à nouveau embarrassé.

— Techniquement, une identification ne peut se faire sur photos. Il faudrait que vous m'accompagniez à la morgue.

Justin lui jeta un regard terrorisé, mais hocha la tête. Il boirait le vin jusqu'à la lie et regarderait en face les conséquences de ses actes. Natacha aurait jugé l'expérience intéressante et l'aurait envié.

Le corps de Fogo était conservé à la morgue de l'hôpital du Bon Samaritain, à Botafogo. Justin songea à la remarque de Natacha sur les bons samaritains et que le parcours de Fogo se terminait dans le quartier auquel Bota et lui devaient leurs surnoms pour avoir joué au *futebol* dans le club homonyme.

L'inspecteur Cardoso emmena Justin dans une Fiat bonne pour une décharge illégale. Il tenta de plaisanter :

— Je fais la fortune de mes confrères de la circulation. Je leur ai payé en contraventions de quoi m'offrir une voiture neuve.

Justin se demandait si ses mensonges aggravaient son cas ou relevaient de la légitime défense. Son estomac se noua à mesure qu'ils approchaient. La nuit finissait de tomber sur les embouteillages.

— C'est le troisième cadavre abandonné en moins d'un an dans la décharge. Des voisins nous ont alertés. Nous avons découvert le corps dimanche. D'après l'autopsie, la mort remontait au lundi ou au mardi précédent. Je parierais sur la nuit de mardi à mercredi : le lundi soir, j'étais passé à la décharge, lors d'une ronde avec un collègue, et nous n'avions rien remarqué.

La morgue était située au sous-sol de l'hôpital, au bout de couloirs interminables. La réception sentait le formol. Un infirmier en blouse blanche précéda Justin et l'inspecteur Cardoso dans une salle aux murs couverts d'armoires métalliques. Justin grelotta de froid, le policier devint aussi blafard que l'éclairage.

Grâce à sa consommation de séries télévisées, Justin ne se sentait pas dépaysé. L'infirmier effectua tous les gestes attendus. Après une ultime vérification sur un terminal électronique, il ouvrit un des tiroirs. Un nuage glacé s'en échappa. Un concentré d'odeurs chimiques saisit Justin à la gorge. Il couvrit sa bouche. Ses yeux le piquèrent. L'infirmier souleva un drap bleu et dévoila le visage de Fogo.

Ses sanglots prirent Justin en traître. Il n'avait ressenti aucune émotion devant les photos de Fogo. Face à son vrai visage, il voulut demander pardon.

L'inspecteur Cardoso le pria de confirmer son identification. Justin balbutia un oui, puis signa un formulaire fixé à une tablette en bois. Le policier et l'infirmier reculèrent. Justin prolongea son face-à-face avec le cadavre. C'était le premier qu'il voyait, Justin appartenait à la longue suite d'événements qui l'avait produit.

Justin s'inclina sans préméditation et fit le signe de croix, puis se retourna et sortit. Dans le corridor, il eut envie de vomir. L'inspecteur Cardoso le rejoignit et ils parcoururent en sens inverse les couloirs sans fin. Justin sécha ses yeux. Ils se perdirent. Un escalier de secours les ramena au hall d'entrée. Justin se tourna vers le policier. Il avait décidé de parler, quelles que soient les conséquences. L'inspecteur le devança:

— Si je peux vous être utile à mon tour, n'hésitez pas.

Justin saisit la carte qui lui était tendue:

— Je n'ai rien fait. J'ai juste reconnu Fogo.

— Sans vous, j'aurais perdu beaucoup de temps. Si je peux aider votre association, dites-le-moi.

C'était trop facile. Il était encore temps d'avouer qu'il avait vu Fogo à Búzios. Justin s'abstint. La vérité tomberait comme un cheveu sur la soupe.

— Si vous pouviez ne pas mentionner mon nom dans votre enquête. À cause de mon père, vous comprenez?

L'inspecteur Cardoso sourit comme d'une bonne plaisanterie:

— Quelle enquête? L'identifié confirmée, la famille, s'il y en a, réclamera le corps et le cas sera classé comme décès accidentel.

Face à l'incrédulité de Justin, il ajouta:

— C'est peut-être la réalité.

. . .

Justin n'était qu'un maillon de la chaîne qui avait conduit Fogo à la mort, mais voulait la certitude de ne pas avoir joué son rôle pour rien et que Gorgias avait bien eu un acheteur pour ses images.

Justin parcourut sur Internet toutes les pages offrant le moindre rapport avec Natacha, son père, sa mère. Il ne découvrit à Luc Desbiens nul ennemi susceptible d'exploiter contre lui des images de Natacha. Il ne trouva, dans le comté d'Acadie-Bathurst, aucun projet assez lucratif pour inciter au chantage ou à la corruption. Il ne dénicha aucun collègue musicien assez jaloux d'Olga Turkovska pour détruire sa carrière à travers sa fille.

En dehors des médias, les seuls acheteurs potentiels des images semblaient rester Natacha, ses parents, pour protéger leur intimité, ou le gouvernement canadien, pour étouffer un scandale. Gorgias avait sans doute jugé que proposer les images à Natacha et Justin était le moyen le plus efficace pour qu'au final Luc Desbiens, son épouse ou les autorités canadiennes payent.

Justin déplaça ses investigations sur les relations de Gorgias. Les seules mentions du maître chanteur qu'il trouva sur Internet concernaient la bataille juridique pour l'héritage de son ancienne patronne. Justin y apprit le nom de son avocat d'alors : maître Brito. Il présuma que, satisfait de ses services, Gorgias n'en avait pas changé. Un avocat à la déontologie flexible pouvait s'avérer un négociateur idéal. Selon Gorgias, le sien avait donné sa bénédiction à la vente des photos et des vidéos de Natacha.

Son site Internet promouvait maître Brito comme un avocat en vogue. Ses clients incluaient des producteurs de télévision et cinéma et plusieurs groupes médias. Justin imagina que l'un d'entre eux aurait pu se monter intéressé par les images de Natacha. Aucun ne semblait toutefois avoir jusque-là fait commerce de scandales.

Justin modifia à nouveau sa perspective. Dario Batista avait pu trouver l'acheteur. Dario Batista était un nom très commun au Brésil. Il apparaissait dans des milliers de pages Internet. Justin mit des heures à y trouver, peut-être, le bon, dans les crédits photographiques d'un hors-série de la revue *Gente!* consacré à Búzios. Les clichés mis en ligne n'avaient rien de scandaleux, ils représentaient des célébrités de passage dans la station balnéaire. S'ils avaient été pris par le complice de Gorgias, ils démontraient que Dario Batista disposait d'une entrée dans un groupe de presse majeur: *Gente!* était publié par *Editora!*.

Justin acheva ses recherches le dimanche soir. Il appela Mauricio Murgell.

— Pourquoi veux-tu découvrir l'acheteur présumé des images de Natacha, puisque le problème a été réglé?

— Je veux savoir s'il a été réglé ou s'il a jamais existé. J'ai trois pistes: l'avocat de Gorgias, certains de ses clients, et un Dario Batista, peut-être l'homme à tout faire de Gorgias, qui a déjà vendu des photos à *Gente!* J'aimerais savoir si l'un d'entre eux a déjà exploité des photos à scandale.

Mauricio Murgell nota les noms des suspects:

— À mon avis, tu peux éliminer la majorité des clients de maître Brito, mais je chercherai la confirmation de tiers. Pour les photos vendues à *Gente!*, je parlerai à mon ami biographe chez *Editora!*, même si personne ne pourra jamais prouver une vente qui n'a pas abouti.

En parallèle à ses recherches, Justin avait épluché la presse, écouté et regardé les bulletins de nouvelles radio et TV, fouillé les sites d'informations en ligne. Les meurtres ne manquaient pas, mais nulle part la découverte du cadavre de Fogo n'avait été citée. Sa visite au commissariat de Catete, puis à la morgue, aurait pu n'être qu'un mauvais rêve. Justin espéra que João n'apprendrait jamais la mort de Fogo.

Le lundi à quatorze heures, Justin et Edson pénétraient dans la cour du lycée français, quand João se dressa devant eux. Fou furieux, il brandissait l'hebdomadaire des quartiers de Laranjeiras et Cosme Velho. Il en déchira une page et l'écrasa de la main sur le visage de Justin :

— Prétends que tu n'as pas livré Fogo.

La page plana jusqu'au sol. Tandis que João s'enfuyait dans la rue, Edson la ramassa. Il parcourut les prévisions météo, la grille de mots croisés, une colonne de petites annonces, puis ses yeux se posèrent sur une nouvelle de deux lignes. Il la lut à haute voix :

— Un cadavre de plus a été trouvé dans une décharge pirate de Cosme Velho. Il s'agirait du corps de Clodomiro Coutinho do Nascimento, dit Fogo, un enfant des rues. Une pétition pour l'élimination de la décharge a déjà reçu deux mille signatures.

Justin et Edson rejoignirent en silence leur classe. João ne réapparut pas de l'après-midi. À la fin des cours, Justin se tourna vers Edson :

— João serait capable de tout raconter à la police ?

L'idée l'avait taraudé l'après-midi entier. Edson sembla se poser la question pour de bon, puis secoua la tête :

— Il n'est pas inconscient à ce point. Ne serait-ce que pour ne pas impliquer Bota.

Justin rentra à la *cobertura*. La mort de Fogo officielle, l'explication avec Evaldo devenait inévitable. Justin lui téléphona sans plus se soucier que la communication laisse des traces. Evaldo ne répondit pas. Justin lui demanda de le rappeler. Evaldo s'exécuta dans l'heure. Le nom de Fogo ne fut pas prononcé. Ils convinrent de se rencontrer.

— Où ?

Tous deux souhaitaient un endroit discret.

— Demain vingt heures, *praia* Vermelha ?

Justin accepta.

C'était une petite anse superbe, située au pied du Pain de Sucre. Justin arriva le premier. Il s'assit sur un banc face à l'océan. Evaldo apparut cinq minutes plus tard. Son sourire déclencha l'indignation de Justin.

— Fogo est mort.

Evaldo s'assit et cessa de sourire :

— Je n'avais pas le courage de te l'annoncer.

— Tu m'avais promis de prendre sa défense.

— J'ai tenu parole. C'est un accident.

Justin émit un rire sinistre :

— Un accident, alors qu'il avait été battu, que son visage et son corps étaient marqués de coups sans rapport avec sa chute ?

Evaldo s'alarma :

— D'où sors-tu ça ?

— C'est vrai ou c'est faux ?

— Fogo méritait une leçon.

— C'est toi et l'Indien qui l'avez administrée ?

— Non, les deux types qui m'accompagnaient à Búzios.

— Ils l'ont battu où et quand ?

— Le mardi soir, dans le stationnement du belvédère.

— Au-dessus de la décharge où le corps a été trouvé ?

Evaldo baissa la tête :

— Oui.

— Après ?

— Les deux gars sont remontés en voiture. L'Indien et moi avons pris leur suite. Pour effrayer un peu plus Fogo et qu'il n'utilise pas contre le gang de São Conrado ce qu'il savait à son sujet. L'Indien a été trop persuasif. Il a informé Fogo qu'il avait été condamné à mort et l'a mis en joue. Fogo tenait à peine sur ses jambes. Pourtant il a bondi comme un possédé et sauté par-dessus le parapet avant que je puisse le retenir.

— Fogo m'avait raconté la même chose à propos de la première embuscade. Deux fausses exécutions de suite, c'est difficile à croire.

— Je ne sais pas, je n'étais pas à la première.

— C'étaient déjà les deux types qui t'escortaient à Búzios?

Evaldo hocha la tête.

— Au belvédère, toi et l'Indien portiez des masques?

— Non. Pourquoi?

Justin se rappela ses paroles à Fogo: si les deux hommes avaient voulu les tuer, lui et Bota, ils n'auraient pas porté de masque. Fogo avait peut-être ses mots en mémoire quand il avait vu l'Indien et Evaldo à visage découvert. Il en avait déduit qu'ils le tueraient.

— Même si Fogo a sauté, c'est un meurtre. Vous vouliez sa mort.

— Il a sauté et c'est un accident.

— Vous étiez si heureux que, le lendemain, tu paradais avec, au revers de ta veste, le pin's que lui avait donné Natacha, puis tu as fêté sa mort à la *lanchonete* Tocantins avec ton copain l'Indien, tandis que les gros bras étaient soûls de leurs célébrations.

Evaldo secoua la tête. Un sourire plissa à nouveau ses lèvres. Justin aurait voulu le frapper:

— Tu es une ordure et un tueur, Evaldo. Tu savais que jamais je ne te livrerais Fogo si je pensais qu'il risquait sa peau, alors tu m'as menti.

Evaldo ricana.

— Si je suis un tueur, Justin, tu es un petit hypocrite, et ton ami João encore plus. Tu savais très bien ce que risquait Fogo, mais tu voulais croire ce qui t'arrangeait. Entre la réputation de Natacha et la vie de Fogo, pour toi, il n'y a jamais eu d'hésitation. Mais ta bonne conscience demandait que je la rassure. João, c'est pire, il lui fallait quelqu'un pour faire le sale boulot. Il voulait Bota, mais pas Fogo. Il s'est débarrassé de Fogo sur toi, tu t'en es débarrassé sur moi. Si j'ai les mains sales, vous, vous êtes pourris.

Justin écoutait, choqué mais sans protester, les quatre vérités dont le matraquait Evaldo.

— Après ce que tu m'as fait, ne me parle pas de promesses et de mensonges, Justin.

— À quoi tu penses?

Evaldo cracha de dégoût dans le sable.

— Pour soulager tout à fait ta conscience, tu as inventé un stratagème afin de me livrer Fogo sans me le livrer et qu'il s'échappe à mes dépens. Entre la peau de Fogo et la réputation de Natacha, tu n'as pas hésité; entre la vie de Fogo et la mienne, pas plus.

— Tu as trouvé Fogo à la villa, le lundi soir, comme convenu, sinon il serait encore vivant.

Evaldo acquiesça:

— J'ai trouvé Fogo à la villa, mais pas comme convenu. Comme convenu, j'avais suivi ta mise en scène, pour te disculper aux yeux de tes amis. Je vous avais filés en voiture, mais mes deux hommes étaient restés de garde aux portes de la maison.

— Tu ne me faisais pas confiance?

Un sourire ironique éclaira le regard d'Evaldo. Justin regretta sa question.

— Bêtement si, mais je ne voulais pas leur en donner l'impression. C'est ce qui m'a sauvé. Fogo est sorti par la porte arrière sur la plage, pendant que tu me promenais autour de Búzios. Par chance, mes deux gars l'ont saisi et m'ont appelé. À mon arrivée, il n'y avait plus qu'à l'embarquer.

Justin se sentit moins coupable envers Fogo et plus envers Evaldo, mais Fogo était mort, Evaldo toujours vivant. Il tenta quand même de se disculper.

— Tu crois tes hommes? Ils seront entrés dans la maison avec la clé que je t'avais donnée, se seront emparés de Fogo et auront ensuite affirmé qu'il avait cherché à s'enfuir.

— Dommage que j'aie gardé la clé avec moi.

— Ils se seront fait passer pour le livreur de pizza.

— Dans quel but?

— Se mettre en valeur et confirmer que leurs chefs avaient raison de se méfier de moi.

Evaldo retrouva son rire joyeux:

— Tout le monde n'est pas aussi diabolique que toi, Justin.

Justin insista:

— Fogo est parti sans son iPod. S'il était parti de son plein gré, il ne l'aurait jamais oublié derrière lui.

— Il ne l'a pas oublié, il l'a perdu dans la lutte avec mes hommes. Si, au lieu de l'avoir sur les oreilles, il avait été attentif aux bruits alentour, il s'en serait peut-être tiré. J'ai replacé l'iPod dans le salon avant de refermer à clé la porte du jardin.

— Pourquoi?

— Parce que je suis bête, Justin. Tu me l'avais demandé, je l'ai fait. J'ai tenu plus que mes promesses. Quand j'ai fouillé Fogo, j'ai trouvé les billets de bus que tu lui avais achetés pour sa fuite. J'ai gardé ma trouvaille pour moi.

Justin nia par réflexe:

— Si tu as bien regardé les billets, les bus partaient le lendemain ou le soir même, mais après que Fogo serait tombé entre vos mains. Ils n'étaient là que pour le rassurer.

Evaldo sembla en mal de souvenirs précis. Il consentit à Justin le bénéfice du doute. La tranquillité d'esprit de Justin exigeait davantage:

— Tu as dit à Fogo que je l'avais trahi?

— Non, car c'était faux et je t'avais promis de ne pas le faire.

L'idée que Fogo était mort en le croyant son ami procura une satisfaction équivoque à Justin. Evaldo répéta, comme pour s'en convaincre:

— J'ai tenu plus que mes engagements à ton égard.

Justin reconnut ses propres mots à João à propos de Fogo.

— Toi, tu me dois ta peau, ou au moins ta liberté.

Evaldo parut curieux:

— Pourquoi?

— Tu as mal fouillé Fogo. La police a trouvé sur son cadavre un bout de papier avec mon numéro de téléphone.

La panique envahit les traits d'Evaldo :

— Ils t'ont appelé ?

Justin acquiesça :

— J'ai dit que je connaissais Fogo de vue et l'avais croisé pour la dernière fois deux semaines plus tôt à Copacabana.

— Rien d'autre ?

— Non.

— La police t'a cru ?

— Jusqu'à preuve du contraire.

Evaldo frissonna de soulagement.

— Merci.

Ils prirent en silence la mesure de ce qu'ils se devaient l'un l'autre, puis Evaldo retrouva un peu de verve :

— Les deux gros bras m'ont rapporté des bruits à ton propos, Justin. Il paraît que tu t'intéresses au *candomblé*. Tu serais même fils d'Exu. Ne me dis pas si c'est vrai. Si tu es né sous le signe d'Exu, tu es trop fort pour moi. Tu pourras continuer à me mentir et je ne me rendrai compte de rien. Ce sont des bruits qui te vont bien. Si c'est la vérité, je ne t'en veux plus de ce que tu as fait, je t'admire.

Justin n'avait que faire, ce soir, de l'admiration d'Evaldo. Il ricana à son tour :

— Moi aussi, Evaldo, j'ai entendu des bruits. Lucia aurait servi de prête-nom à tes amis pour investir dans la *favela do Pavão*.

— C'est vrai et je te l'aurais dit.

— Quand?

Evaldo sourit:

— Un jour ou l'autre. Mes amis voulaient investir discrètement, les vendeurs étaient heureux d'être payés en liquide et de ne poser aucune question.

— Lucia a ensuite signé une promesse de vente à tes amis?

Evaldo opina.

— Qu'as-tu reçu pour les services de Lucia?

— Rien. C'est un investissement. Mes amis ont besoin d'un homme de confiance dans la *favela* et moi d'un travail.

— Honnête?

Evaldo posa sa main sur le cœur:

— Je ne t'ai pas menti, Justin. Fogo, c'était juste pour pouvoir tourner la page.

· · ·

Le jeudi soir, Mauricio Murgell rappela Justin:

— Un des clients de maître Brito, la société Vespasus, possède des sites Internet érotiques et le Dario Batista qui a vendu des clichés à *Gente!* semble bien celui que tu cherches. Il écoulerait aussi du matériel pornographique sous le nom de DaBaDum.

Le lendemain à la sortie des cours, Edson ne prit pas le bus vers Gávea, mais descendit avec Justin au *largo do Machado*:

— Tu sais ce que m'a demandé João?

Justin secoua la tête.

— La dissolution de notre pacte d'amitié.

— Tu lui as répondu quoi?

— Qu'il fallait l'unanimité des membres et que j'étais contre.

— Pourquoi m'en veut-il à ce point?

— Il a la conscience moins tranquille que toi.

Justin hocha la tête sans comprendre. Edson soupira:

— Vous me gâchez la vie tous les deux. Demain soir, pour te faire pardonner, invite-moi au *Clube dos caiçaras*.

Justin lui jeta un regard incrédule:

— Il n'y a pas plus sinistre. Qu'as-tu en tête?

— Embarquer sur un pédalo et voguer sur la lagune au clair de lune.

— Tu plaisantes?

Un sourire baveux illumina le visage d'Edson:

— J'en ai toujours rêvé. Surtout en ta compagnie.

L'idée était assez saugrenue pour qu'Edson l'ait et que Justin l'accepte.

Samedi, à la nuit tombante, Justin se tenait à l'entrée de l'île occupée par le *Clube dos caiçaras* sur la lagune Rodrigo de Freitas. Durant l'après-midi, il avait visité les sites de la société Vespasus. Érotiques ou pornographiques, ils n'avaient rien d'excitant, sinon des crédits photographiques au nom de DaBaDum. Cela ne prouvait rien, mais constituait un précédent. Si Gorgias n'avait pas d'acheteur lorsqu'il avait approché Natacha et Justin, lui et Dario Batista possédaient les contacts pour en trouver ensuite. Et si leurs prospects refusaient leurs exigences financières, les sites Vespasus étaient capables d'assurer à leurs images une diffusion peu lucrative, mais aussi dommageable pour Natacha. Ses recherches des dix derniers jours n'avaient pas démontré à Justin l'existence d'un acheteur pour les photos de Gorgias, mais l'avaient conforté dans la justesse de son choix. Fort de leurs résultats, il aurait accepté sans hésiter l'offre d'Evaldo. Sa conscience l'avait à moitié absous de la mort de Fogo et il se sentait presque aussi serein qu'avant de connaître Natacha.

Edson arriva avec une énorme glacière.

— Tu y caches quoi ?

— Un système GPS, si nous nous égarons sur la lagune.

Ils prirent place sur un pédalo bleu pâle. Une ampoule à l'avant de chaque flotteur faisait office d'éclairage. Edson s'empara du gouvernail. Ils pédalèrent vers le centre de la lagune. Ses eaux creusaient au milieu de la ville un trou noir. Une guirlande de lumière parcourait son pourtour irrégulier. Le Corcovado planait dans le ciel. Justin crut flotter sur un cratère sans fond.

Deux points lumineux apparurent à leur droite. Edson alla à leur rencontre. Un second pédalo émergea de la nuit. La lueur faible des ampoules révéla Xuxa et João. Les deux embarcations s'accouplèrent en douceur. João semblait furieux. Il se dressa sur les pédales pour faire marche arrière, mais Xuxa résista. Edson amarra les deux pédalos l'un à l'autre par des nœuds compliqués. João abandonna la lutte et se renfonça dans son siège. Edson lui expliqua ses options, ainsi qu'à Justin :

— Nous ne bougerons pas d'ici tant que vous ne vous serrerez pas la main. Ou vous vous y résignez tout de suite, ou Xuxa et moi vous abreuvons de *caipirinhas* jusqu'au même résultat.

João se renfrogna encore plus, bras croisés sur la poitrine. Justin rencontra le regard de Xuxa, ils réprimèrent une envie de rire. Edson ouvrit la glacière. Préparer des *caipirinhas* sur un pédalo n'était pas chose aisée. Il y parvint avec brio. Justin et João ne refusèrent pas leurs verres. Edson tendit une canette de *guaraná* à Xuxa, puis s'en ouvrit une.

— Xuxa et moi sommes vos conducteurs désignés. Vous pouvez boire autant que nécessaire, nous vous ramènerons à bon port.

Justin respira l'odeur de *cachaça* et de citron vert. Il se surprit à l'apprécier.

— Il y a quelque chose à manger ?

Edson secoua la tête :

— Pas question, Justinho. L'alcool agira plus vite seul.

Justin touilla son verre avec sa paille, puis aspira une première gorgée. Il la trouva rafraîchissante et brûlante. La seconde lui parut plaisante. À la troisième, il se reprocha de ne pas avoir essayé plus tôt. Il finit son verre prêt à serrer la main de n'importe qui.

João semblait moins sensible aux charmes de la *caipirinha*. Il but la sienne comme s'il s'agissait d'un sirop contre la toux.

Edson vida les restes de citron dans la lagune, puis remplit à nouveau les verres. Justin jugea sa seconde petite provinciale plus forte que la première, c'est-à-dire meilleure. Il n'était plus pressé que João lui tende la main. D'ailleurs, il la refuserait, pour avoir un troisième verre.

Xuxa ajouta sa persuasion à celle de l'alcool :

— D'après Evaldo, Justin a tout fait pour que Fogo lui échappe. Sans ses sbires, Fogo aurait rejoint la station de bus et Evaldo ne l'aurait pas revu.

Edson renchérit :

— Et les gros bras n'auraient pas voulu casser la figure à Justin devant moi s'il leur avait livré Fogo sur un plateau.

Justin hocha la tête et s'aperçut qu'elle tournait. La résolution de João parut vaciller. Il vida toutefois son verre sans tendre la main à Justin.

Edson se remit à couper des citrons et piler de la glace. Pour la première fois, les regards de João et Justin se croisèrent, voilés d'alcool. Ils se remirent à boire. Après deux gorgées, João jugea honorable de rendre les armes. Il tendit la main. Justin eut l'impression que les pédalos tanguaient. Il lança la sienne à sa rencontre. Les deux mains se ratèrent de peu, puis s'agrippèrent. Les deux autres continuèrent à serrer fort leurs verres. Xuxa applaudit, Edson soupira :

— J'ai failli manquer de *cachaça*.

Il leva sa canette de *guaraná* et porta un toast:

— À l'amour, même s'il rend aveugle.

Xuxa se joignit à lui. Justin se sentit trop embarrassé pour les imiter. Il regarda João et le découvrit, à sa surprise, encore plus gêné que lui.

Edson insista:

— Trinquez. C'est vous les premiers concernés.

Justin et João se résignèrent et obéirent. Ils choquèrent leurs verres. Xuxa et Edson les regardaient en riant. João baissa la tête. Justin but une gorgée de plus. Elle lui ouvrit les yeux. Il réalisa pourquoi João s'intéressait à Bota, pourquoi Fogo n'avait pu rester à Charitas, pourquoi Evaldo avait accusé João de vouloir se débarrasser de Fogo, pourquoi João blâmait moins Justin que lui-même pour la mort de Fogo. Xuxa et Edson riaient toujours. Justin était le dernier à comprendre: João était amoureux de Bota. Justin le regarda avec la compassion d'un camarade d'infortune, puis sa tête tourna un peu plus, et bientôt trop.

• • •

Dans la première semaine du mois de juin, le réseau de télévision Bandeirantes programma à une heure de grande écoute un documentaire intitulé *Sexe à Búzios*. Saisie pour bloquer sa diffusion, la justice l'autorisa malgré tout. Le programme fit scandale et battit des records d'audience. Un ministre, dont le fils avait été surpris en position compromettante, démissionna. Le film dévoilait le tourisme sexuel derrière la façade chic de la station : les prostituées, les gigolos, les célébrités locales et étrangères, le commerce de plaisirs licites ou non. Ses scènes d'orgies et de pratiques sexuelles déviantes choquèrent. Le programme était coproduit par la société Vespasus. DaBaDum apparaissait au générique comme contributeur d'images.

Justin pensa que, sans son intervention, le documentaire aurait été plus long d'une séquence, dont Natacha aurait eu la vedette.

GLOSSAIRE

A

abiã : novice (*candomblé*)

abraço : embrassade, accolade

acaçá : pâte de maïs enveloppée dans une feuille de bananier servie en offrande aux *orixás*

açaí : palmier de l'Amazonie ; baie rouge pourpre, fruit de ce palmier, notamment consommée sous forme de sorbet et de jus

acarajé : beignet à la pâte de haricots, farci aux crevettes (spécialité culinaire bahianaise)

açoito : (de *açoitar* : fouetter) coup de pied direct (*capoeira*)

adarrum : rythme destiné à déclencher la possession (*candomblé*)

adega : cave

agogô : double clochette métallique

almirante : amiral

arco-íris : arc-en-ciel

Armação dos Búzios est un ancien village de pêcheurs, situé à 150 kilomètres de Rio de Janeiro, devenu à partir des années 1970 l'un des lieux de villégiature favoris de la jeunesse dorée carioca. Au-delà du bourg, Búzios désigne l'ensemble de la péninsule environnante, dotée d'une quinzaine de plages. Búzios est parfois surnommé le Saint-Tropez brésilien, en partie suite à un séjour dans les années 1960 de Brigitte Bardot, dont le seul cinéma de la station porte le nom.

arpoador : harponneur

a ponta – la pointe rocheuse – et *a praia* – la plage – ***do Arpoador*** s'étendent sur 500 mètres entre le fort de Copacabana et la plage d'Ipanema. Aujourd'hui très fréquentées par les surfeurs, les eaux à proximité auraient attiré dans le passé les baleines, d'où le nom de *arpoador*, le harponneur, donné à ces sites.

assaltante : agresseur

assalto : agression

atabaque: grand tambour

avenida: avenue

L'*avenida* **Atlântica** longe la plage de Copacabana tandis que sa parallèle, l'*avenida* Nossa Senhora de Copacabana, est la principale artère commerciale du quartier.

L'*avenida Rio Branco* est l'artère principale du centre-ville de Rio. Longue de près de 2 kilomètres et large de 30 mètres, elle a été tracée en 1904 et 1905 dans le cadre d'une refonte urbaine inspirée des travaux du baron Haussmann à Paris.

axé: énergie sacrée (*candomblé*)

B

babalaô: devin, prêtre d'Ifa (*candomblé*)

babalorixá: père de saint, chef du culte afro-brésilien et du *terreiro* (*candomblé*); synonyme de *pai de santo*

babalosaim: prêtre des plantes rituelles (*candomblé*)

baile: bal

bailes funk: bals de musique électronique populaires dans les *favelas* cariocas

Baixada Fluminense: région au-delà de la *Zona Norte* de Rio, devenue une banlieue de 3 millions d'habitants et souffrant de problèmes sociaux et de pollution majeurs

bananeira: bananier; équilibre sur la tête ou les bras (*capoeira*)

bandido: bandit, gredin

barra: barre, bande; désigne au Brésil une bande de terre entre l'océan et une lagune

Barra da Tijuca: extension sud de la ville de Rio de Janeiro

barraca: baraque; par extension, paillote, restaurant de plage

barzinho: petit bar

bastardo: salaud

batida: cocktail de *cachaça* et de jus de fruits

batida de coco: batida à la noix de coco.

berimbau: arc musical

besteira: bêtise

bolinho: boulette

bolinho de bacalhau: acra de morue

bom-dia: bonjour

bori: cérémonie nécessitant un sacrifice animal et destinée à renforcer la tête du fidèle avant son initiation complète (*candomblé*)

La **bossa nova** (littéralement la «nouvelle bosse» d'où, au sens figuré, la «nouvelle aptitude», puis la «nouvelle manière») est un style musical dérivé de la samba et influencé par le jazz, créé à la fin des années 1950 à Rio de Janeiro par des compositeurs tels qu'Antônio Carlos Jobim et João Gilberto.

Botafogo: quartier de la *Zona Sul* de Rio de Janeiro sur la baie de Guanabara, club de *futebol* carioca.

C

caboclo: cabocle, métis de Blanc et d'Indien

cachaça: alcool de canne à sucre

café da manhã: (littéralement «café du matin») petit-déjeuner brésilien, c'est-à-dire déjeuner québécois

cafezinho: expresso

caiçara: habitant du littoral, pêcheur

caipirinha: cocktail de *cachaça,* citron vert, sucre et glace pilée; diminutif de *caipira,* mot souvent péjoratif – péquenaud, plouc – utilisé pour désigner les habitants de la province

Le **candomblé** désigne à la fois le lieu où se célèbrent les fêtes religieuses afro-brésiliennes (aussi appelé *terreiro*) et l'ensemble des cérémonies religieuses afro-brésiliennes.

Le *candomblé* est caractérisé par la croyance en un dieu suprême, Olorun, et par le culte des *orixás*, des divinités associées tant aux éléments naturels qu'à des couleurs, des objets, des animaux, des nourritures et des champs de l'activité humaine.

Le *candomblé* propose un processus initiatique qui culmine dans des phénomènes de transe au cours desquels les *orixás* prennent possession des initiés.

Trois millions de Brésiliens, soit 1,5 % de la population, pratiqueraient aujourd'hui le *candomblé* dans plus de 10 000 lieux de culte. Tous ces fidèles ne sont pas des initiés.

Traditionnellement persécuté, le *candomblé* a développé des liens étroits avec la religion catholique pour assurer sa survie. Les *orixás* sont communément associés à des figures catholiques et souvent fêtés en même temps qu'elles. Oxossi est ainsi assimilé à saint Georges (ou saint Sébastien à Rio), Oxalá à Jésus, Ogun à saint Antoine, ou encore Iemanjá à la Vierge Marie.

Le *candomblé* est aujourd'hui officiellement reconnu et protégé – et donc surveillé – par le gouvernement brésilien.

La **capoeira** est un mélange de danse, style de combat, discipline acrobatique et attitude de vie.

Elle comprend deux écoles principales, établies dans les années 1930 par deux grands maîtres – *mestres* – de Salvador da Bahia.

La *capoeira angola* de *Mestre* Pastinha constitue la forme traditionnelle de la *capoeira,* tandis que la *capoeira regional* de *Mestre* Bimba développe sa dimension d'art martial.

L'essor de la *capoeira* à partir des années 1970 a conduit à la création de nombreux autres courants et écoles, mais la tendance est aujourd'hui à un retour à la tradition de la *capoeira angola.*

Les capoeiristes forment une ronde – *roda* – où ils se défient en affrontements rythmés par des chants et musiques jouées sur des arcs musicaux, des tambours et d'autres instruments de percussion.

careca: chauve

Antônio de Oliveira Filho, dit Careca, était un joueur de *futebol* à l'abondante chevelure bouclée, qui tirait son surnom de sa passion d'enfant pour un clown appelé Carequinha.

Carioca: habitant de Rio de Janeiro

carioca: originaire de Rio de Janeiro

carne de sol: viande de bœuf salée et grillée ; spécialité du Ceará

caruru: crevettes sautées à la sauce piquante (cuisine bahianaise)

Catete: quartier de Rio de Janeiro, proche de Glória et Laranjeiras, où étaient situées la résidence du président de la République – au Palais du Catete, désormais Musée de la République – et de nombreuses ambassades avant le transfert de la capitale fédérale à Brasília.

cavaca: biscuit d'origine portugaise

Ceará: État du Nordeste brésilien

centavo: centième partie du real, centime

chapa de costa: (littéralement «plaque de dos») coup de pied porté vers l'arrière avec le talon, les mains et l'autre pied posés au sol (*capoeira*)

Fils d'un historien célèbre, Francisco Buarque de Hollanda, plus connu sous le nom de **Chico Buarque**, est un des principaux représentants, avec Gilberto Gil et Caetano Veloso, de la MPB – *Música Popular Brasileira*: musique populaire brésilienne – un style musical né à la fin des années 1960, qui mêle les influences de la bossa nova, la samba, du jazz et du rock-and-roll. Auteur-compositeur-interprète, Chico Buarque est aussi romancier et dramaturge.

chinelos: tongs

churro: (mot espagnol) beignet frit en forme de gros spaghetti

Le *Cinema Novo*, ou nouveau cinéma, est né au Brésil dans les années 1950, sous l'impulsion de réalisateurs comme Nelson Pereira dos Santos, Glauber Rocha et Carlos Diegues. Il se développe jusqu'au coup d'État militaire de 1964, qui y met un frein, puis un terme à la fin des années 1960. Inspiré par le néoréalisme italien et cousin de la nouvelle vague française, le *Cinema Novo* utilise les techniques du cinéma direct pour rompre avec la production traditionnelle de mélodrames et comédies musicales. Ses films mettent en scène un Brésil quotidien ou parfois mythique, tant rural qu'urbain, autour de thèmes comme la pauvreté, la faim et la révolte contre les inégalités.

clube: club

clube de regatas: club de voile; les quatre grands clubs de *futebol* de Rio de Janeiro (Botafogo, Flamengo, Fluminense, Vasco da Gama) étaient à l'origine des clubs de voile

cobertura: couverture, appartement avec terrasse au dernier étage d'un immeuble

cocada: friandise à la noix de coco

confeitaria: confiserie, salon de thé

confeitaria Colombo: salon de thé Belle Époque du centre de Rio, ouvert en 1894

conta: note, facture

Copacabana: plage et quartier de la *Zona Sul* de Rio de Janeiro sur l'océan Atlantique

Le *Corcovado* est un pic de 710 mètres de haut, situé dans la forêt da Tijuca. Son nom signifie « bossu » en portugais. Une statue, haute de 38 mètres, du *Cristo Redentor* – Christ Rédempteur – a été construite à son sommet en 1931

Cosme Velho: quartier de Rio de Janeiro, dans le prolongement de Laranjeiras, englobant le Corcovado et nommé en hommage à un marchand portugais du XVIe siècle, Cosme Velho Pereira

D

dar um jeito: trouver un moyen, se débrouiller

(azeite-de-) dendê: huile de palme

desafinado: désaccordé

Desafinado est une chanson composée en 1959 par Antônio Carlos Jobim et Newton Mendonça et un classique de la bossa nova.

Duque de Caxias: ville de la Baixada Fluminense, forte d'environ 900 000 habitants

E

ebó: offrande ou sacrifice d'animaux pour les *orixás*

edifício: immeuble

egun: esprit d'un mort (*candomblé*)

ekedy: femme chargée de s'occuper des filles de saint durant leur transe (*candomblé*)

eledá: *orixá* « de tête » d'un individu, sous le signe duquel est placée sa destinée (*candomblé*)

empada: chausson, friand

engenheiro: ingénieur

erê: esprit d'enfant lié à l'*orixá* de l'initié (*candomblé*)

esfiha: en-cas typique de la cuisine arabe

esfiha fechada (fermée): friand à la pâte de pain

esfiha aberta (ouverte): sorte de pizza

L'***Estado Novo,*** ou « État nouveau », désigne le régime dictatorial instauré au Brésil par Getúlio Vargas suite à son coup d'État de 1937 et conclu sur sa destitution par les militaires en 1945. Inspiré des conceptions autoritaires des régimes fascistes européens et notamment du régime éponyme portugais, l'*Estado Novo* s'est caractérisé par la centralisation du pouvoir exécutif et l'intervention de l'État. Il a bénéficié de l'appui d'une partie des classes moyennes et ouvrières, sensibles à l'image projetée du dictateur comme « père des pauvres ».

Exu: divinité des rues et des passages, intermédiaire entre les hommes et les *orixás*, fréquemment assimilée au diable catholique (*candomblé*)

exu: esprit désincarné s'exprimant à travers un médium (*umbanda*)

F

farofa: farine de manioc

Les ***favelas,*** « favelles » en français, sont des quartiers construits sur des terrains occupés illégalement et souvent insalubres.

Il y aurait près de 1 000 *favelas* à Rio de Janeiro qui regrouperaient 20 % de la population de la ville.

La politique actuelle de la mairie vise à intégrer progressivement les *favelas* à la ville officielle, pour aboutir à la reconnaissance des droits à la propriété de leurs habitants.

La réalisation de cet objectif, souvent affiché dans le passé mais jamais concrétisé, suscite des doutes.

Les premières *favelas* sont apparues au début du XXe siècle, comme conséquence de l'exode rural vers les métropoles du sud du pays.

La *favela* est à l'origine une plante. L'utilisation du mot pour désigner des zones d'urbanisation sauvage tirerait sa source d'un conflit militaire à la fin du XIXe siècle, dans l'arrière-pays bahianais, entre des colons et l'armée fédérale.

Des militaires avaient établi leur camp sur une colline, nommée *O morro da favela*, car il s'y trouvait une abondance de cette plante.

Après la guerre, ces soldats se seraient installés avec leurs familles sur une autre colline, *O morro da providência* – la colline de la Providence –, qu'ils auraient rebaptisée *favela*, en souvenir de leur ancien campement.

fenomeninho: bébé-phénomème, surnom donné par João à Edson.

L'archipel de **Fernando de Noronha** regroupe 21 îles, dont une seule habitée. Situé à 360 kilomètres du continent, il couvre une superficie d'à peine 27 kilomètres carrés. Il constitue un sanctuaire écologique pour les oiseaux migrateurs et les animaux marins.

ferramenta: outil(s); attribut caractéristique d'un *orixá* (*candomblé*)

filho, filha, filhos: fils, fille, enfants

filho-da-puta: ordure, fils de pute

filho de santo, filha de santo: fils, fille de saint; initié(e) (*candomblé*)

Flamengo: plage et quartier de la *Zona Sul* de Rio de Janeiro, sur la baie de Guanabara

Fla-Flu est le surnom donné aux rencontres de *futebol* entre les clubs cariocas de Flamengo et Fluminense. Le premier eut lieu le 7 juillet 1912. Le Fla-Flu pour la finale du championnat carioca de 1963 attira 194 603 spectateurs au Maracanã, un record. Plus de 370 Fla-Flu ont été joués, le Flamengo mène au nombre de victoires et de buts marqués.

A Folha de São Paulo: *La feuille de São Paulo*, quotidien brésilien

frango: poulet, surnom des mauvais gardiens de but de *futebol*

funk carioca: musique électronique inventée dans les *favelas* de Rio

futebol: soccer

G

galinha: poule

garoto, garota: garçon, fille, gamin(e)

Gávea: quartier de la *Zona Sul* de Rio de Janeiro en retrait de la mer

Gazeta Mercantil: *Gazette du commerce,* quotidien brésilien des affaires

Chef civil de la Révolution de 1930 qui mit fin à la Vieille République, **Getúlio Vargas** dirigea le Brésil dans le cadre d'un gouvernement provisoire jusqu'en 1934, puis comme président constitutionnel du pays jusqu'en 1937. Il instaura alors une dictature personnelle, l'*Estado Novo,* qui dura jusqu'à sa destitution par les militaires en 1945.

En 1951, Getúlio Vargas revint au pouvoir comme président de la République élu au suffrage universel. Il se suicida le 24 août 1954, au palais du Catete, siège de la présidence, après 3 années d'un gouvernement polémique, marqué par les accusations de corruption.

ginga: mouvement de va-et-vient des bras et des jambes à la base de la *capoeira,* dont chaque pratiquant développe sa propre version

O Globo: *Le globe,* quotidien brésilien

Glória: quartier de Rio de Janeiro, proche de Catete et de la plage de Flamengo, qui doit son nom à l'église Nossa Senhora da Glória do Outeiro, une des premières construites à Rio au XVIIIe siècle

gringo: mot espagnol, aussi employé au Brésil, désignant de manière péjorative les Américains ou les étrangers en général

guaraná: fruit amazonien, soda riche en caféine tiré de ce fruit

H

hipócrita: hypocrite

I

ialorixá: mère de saint, chef du culte et du *terreiro* (*candomblé*), synonyme de *mãe de santo*

Iemanjá: *orixá* de la mer, assimilée à la Vierge Marie (*candomblé*)

Ifá: dieu du destin (*candomblé*)

-inho: (suffixe) « petit » (p. ex.: Ronaldo, Ronaldinho)

ilé: maison (*candomblé*)

Ipanema: quartier et plage de la *Zona Sul* de Rio de Janeiro

Istoé: *C'est-à-dire,* hebdomadaire brésilien d'actualité

iyaô: initié *(candomblé)*

J

jeito: manière, moyen, système D

joelhada: coup de genou *(capoeira)*

Le *jogo do bicho,* ou jeu de l'animal, est une loterie illégale, inventée à la fin du XIXe siècle par le propriétaire du jardin zoologique de Rio de Janeiro. Le billet gagnant représentait à l'origine un des 25 animaux du zoo et les numéros leur restent aujourd'hui associés; les numéros 73-74-75-76 correspondent au *pavão* – le paon.

Chaque *jogo do bicho* est géré par un *banqueiro* – un banquier – qui garantit le paiement des gains et redistribue souvent une partie de ses profits dans la communauté, notamment en finançant des écoles de samba.

O Jornal do Brasil: *Le journal du Brésil,* quotidien brésilien

Médecin de formation et président du Brésil de 1956 à 1961, **Juscelino Kubitschek** (1902-1976) était d'origine tchèque et tzigane par sa mère.

Sa présidence a été marquée par une forte croissance économique, toutefois accompagnée d'une montée des déficits et de l'inflation qui conduisit en partie au coup d'État militaire de 1964.

C'est sous son mandat qu'est décidée et réalisée la construction, prévue dans la constitution, d'une nouvelle capitale dans l'intérieur du pays. Débutés en février 1957, les travaux sont menés à bien en 41 mois et l'inauguration de Brasília a lieu en avril 1960.

Très populaire de son vivant, Juscelino Kubitschek remporta en 2001 le titre de «Brésilien du XXe siècle» lors d'un vote organisé par la revue Istoé. Les Brésiliens ont surnommé ses années de présidence *os anos dorados,* les années dorées.

L

lagoa: lagune

Située au cœur de la *Zona Sul* de Rio de Janeiro, la **lagoa Rodrigo de Freitas** attire sur ses 8 kilomètres de rives terrains de sport, clubs privés, snack-bars, cyclistes et joggers.

lanchonete: snack-bar, forme traditionnelle de restauration rapide offrant des en-cas et des sandwiches

Lapa: quartier de Rio de Janeiro, proche du centre-ville, qui renoue, depuis sa revitalisation, avec sa réputation de centre de la bohème et la vie nocturne cariocas

largo: place

Le *largo do Machado* est une grande place très animée, particulièrement appréciée des joueurs d'échecs, ainsi qu'une station de métro, à la jonction des quartiers de Laranjeiras, Flamengo et Catete.

Son nom vient d'une boucherie dont l'enseigne représentait une grande hache – *machado.*

lateral: arrière latéral (*futebol*)

Leblon: plage et quartier de la *Zona Sul* de Rio de Janeiro sur l'océan Atlantique

Leme: partie nord-est de la plage et du quartier de Copacabana, dominée par un *morro* en forme de gouvernail – *leme* – inversé

Leovegildo Lins da Gama Júnior, l'un des plus grands arrières gauche du *futebol* mondial, a joué 865 matches – un record – sous les couleurs du Flamengo et 70 pour l'équipe du Brésil. Il a remporté la Coupe Intercontinentale, la Coupe Libertadores, 4 championnats brésiliens, 5 de l'État de Rio de Janeiro, et participé aux coupes du monde 1982 et 1986.

limão: citron vert

Linha Vermelha: ligne rouge, surnom d'une autoroute reliant Rio de Janeiro à la Baixada Fluminense

M

maconha: marijuana

mãe de santo: mère de saint, chef du culte et du *terreiro* (*candomblé*), synonyme de *ialorixá*

malandro: mauvais garçon, fripouille; figure emblématique de la culture carioca

malícia: malice, vice; aussi capacité à lire les intentions de l'adversaire et, par extension, à comprendre le monde (*capoeira*)

mangusto: mangouste

Maracanã est un quartier de Rio de Janeiro, et surtout le nom usuel du stade Mário Filho qui y est situé. Construit pour la coupe de monde de *futebol* 1950, le Maracanã pouvait accueillir 180 000 spectateurs à l'origine. Victime du manque d'entretien, il est en cours de rénovation pour la coupe du monde 2014.

Le **Maracanãzinho** (littéralement « le petit Maracanã ») est un gymnase voisin du stade.

maracujá: fruit de la passion

martelo: marteau

martelo com rasteira em pé: coup de pied fouetté complété d'un balayage, effectué debout (*capoeira*)

meia-lua de compasso: (littéralement demi-lune de compas) coup de pied circulaire donné par l'arrière avec le talon, mains au sol (*capoeira*)

Lors de sa création en 1991 par le traité d'Asuncion, le **Mercosul**, en portugais, ou Mercosur, en espagnol, regroupait le Brésil, l'Argentine, l'Uruguay et le Paraguay. Le Venezuela les a rejoints en 2006 comme membre permanent. La Bolivie, le Chili, le Pérou, l'Equateur et la Colombie ont le statut de pays associés de ce *mercado comum do Sul* – marché commun du sud.

Le Mercosul est le troisième marché intégré au monde derrière l'Union européenne et l'Alena.

Mestre: maître; titre notamment utilisé dans la *capoeira*

Minas Gerais: État du Brésil, son nom – « mines générales » – remonte à l'époque coloniale et à l'exploitation de ses ressources minières, notamment d'or et diamants

misto quente: croque-monsieur brésilien

monginho: (diminutif de *monge*, moine) petit moine; surnom donné par Edson à João.

moqueca: mijoté

moqueca de peixe: mijoté de poisson (spécialité culinaire bahianaise)

morro: mont, butte, colline

museu: musée

Fondé en 1890, le **Museu Paulista** est le principal musée de l'université de São Paulo. Ses collections illustrent ses trois axes de recherche: quotidien et société, l'univers du travail, l'histoire de l'imaginaire.

N

não: non

Nordeste: Nord-Est, régions les plus pauvres du Brésil

O

obrigado, obrigada: merci (littéralement « obligé, obligée »)

odú: ensemble de mythes et récits à la base du système divinatoire d'Ifá; il existe 16 *odús* principaux, associés chacun à une figure particulière du collier d'Ifá (*candomblé*)

ogan: protecteur laïque d'un *terreiro* (*candomblé*)

Ogum: *orixá* du fer et de la guerre (*candomblé*)

ola: (mot espagnol) vague, *onda* en portugais

Olorun: dieu suprême et oisif (*candomblé*)

orelhão: grande oreille, surnom des téléphones publics brésiliens

orla: bord, bordure, bord de mer

orixá: divinité des cultes afro-brésiliens (*candomblé*)

Oxossi: *orixá* de la lune et de la chasse (*candomblé*)

Oxumarê: *orixá* de l'arc-en-ciel

P

paço: palais

padrinho: parrain

pai de santo: père de saint, chef du culte et du *terreiro* (*candomblé*), synonyme de *babalorixá*

pandeiro: tambour; tambourin

Le *Pão de Açúcar* – Pain de Sucre – est un *morro* – butte – de 394 mètres de haut, sur la péninsule entre l'océan Atlantique et la baie de Guanabara. La colline doit son nom à sa forme de bloc de sucre raffiné; les colons de la France antarctique y voyaient plutôt une motte de beurre. «Pão de Açúcar» est aussi une enseigne brésilienne de grande distribution.

pão de queijo: petit pain rond au fromage

Paraíba: État du Nord-est brésilien

parque: parc

O parque Garota de Ipanema est situé en retrait de la *praia do Arpoador*, entre Copacabana et Ipanema. Il accueille des concerts et, en tout temps, des bandes d'enfants des rues. Son nom est un hommage à la chanson *A garota de Ipanema,* la fille d'Ipanema, composée en 1963 par Antônio Carlos Jobim et Vinícius de Moraes.

pastel, pastéis: beignet(s) fourré(s)

pavão: paon

Création de l'État brésilien en 1953, **Petrobras** (Petroleo Brasileiro) a bénéficié jusqu'en 1997 d'un monopole sur l'exploration, la production, le raffinage et le transport du pétrole au Brésil.

Petrobras compte aujourd'hui parmi les plus grandes sociétés mondiales du secteur de l'énergie. C'est une société anonyme, dont l'État brésilien demeure le premier actionnaire avec 33 % des parts et conserve la majorité des droits de vote.

Spécialiste des forages en mer, Petrobras a découvert en 2007 dans le bassin de Tupi des réserves estimées à 5 à 8 milliards de barils de pétrole.

Le slogan de la société affirme que le défi est son énergie: «*O desafio é nossa energia*».

Pernambuco: État du Nordeste brésilien

petisco: amuse-gueule

picanha: rumsteak

picolé: bâtonnet de glace

pinga: eau-de-vie

ponta: pointe

pousada: auberge

por favor: s'il vous plaît

praça: place

La ***praça dos Paraíbas*** est située au centre de Copacabana et accueille l'un des marchés de rue du quartier parmi les plus animés. Officiellement *praça* Serzedelo Correia, elle doit son surnom aux nombreux immigrants du Nordeste, et surtout de l'État de Paraíba, qui s'y retrouvent les jours de congé.

praia: plage

prazer: plaisir; *muito prazer*: (salutation) enchanté

Q

quilombo: communauté autonome d'esclaves fugitifs. Des *quilombos* ont existé dans à peu près toutes les régions du Brésil. Situés dans des zones isolées et difficiles d'accès, la plupart ont connu une existence éphémère et ont été détruits par la répression; certains ont au contraire subsisté et donné naissance à des villes.

quindim: gâteau à la noix de coco

R

rapaz: garçon, gamin

rasteira: balayage, croc-en-jambe, effectué avec le pied, les mains au sol (*capoeira*)

real, reais: réal, unité monétaire brésilienne

Recreio dos Bandeirantes: extension sud de la ville de Rio de Janeiro, au-delà de Barra da Tijuca

Le **Rede Globo de Televisão** – réseau Globo de télévision – a été fondé en 1966 par Roberto Marinho à Rio de Janeiro. Il est aujourd'hui le premier réseau de télévision privée d'Amérique latine et le quatrième au monde après les réseaux américains CBS, ABC et NBC. Son audience quotidienne s'élève à 120 millions de téléspectateurs.

Le Rede Globo appartient à Organisações Globo, le plus grand conglomérat latino-américain du secteur des médias, dont les activités comprennent aussi la télévision par câble et satellite, Internet, la production et la distribution TV et cinéma, la radio, la presse quotidienne et magazine, l'industrie du disque.

Le groupe tire son origine des journaux *A Noite* et surtout *O Globo*, fondé en 1925 par Irineu Marinho, et reste contrôlé par la famille de son fondateur.

En 2006, le Rede Globo a consacré une «minisérie» de 47 épisodes, JK, à Juscelino Kubitschek qui, durant sa présidence, avait concédé en 1957 à Radio Globo la licence de diffusion télévisuelle à l'origine, 9 ans plus tard, de sa création.

La ville de Rio de Janeiro fut fondée en 1565 par Estácio de Sá. En 1763, elle succéda à Salvador da Bahia comme capitale de la vice-royauté du Brésil, alors colonie du Portugal.

En 1822, au moment de l'indépendance brésilienne, Rio de Janeiro devint la capitale du nouveau pays et le demeura jusqu'en 1960, quand Brasília la remplaça.

Rio de Janeiro reste capitale de l'État homonyme de la République fédérale brésilienne.

En 2008, la ville comptait 6,1 millions d'habitants et sa région métropolitaine 11,8 millions.

Le *município* – municipalité – de Rio de Janeiro regroupe 160 *bairros* – quartiers – répartis dans 34 régions administratives. Il est géré par une *prefeitura* – mairie – et 19 *sub-prefeituras* – mairies annexes.

Le noyau historique de la ville, aujourd'hui presque inhabité, demeure son centre commercial et financier. À partir de là, la ville s'est développée au nord – le fond de la baie de Guanabara – et au sud – l'océan : la *Zona Norte* – zone nord – concentre les quartiers pauvres et industriels, la *Zona Sul* – zone sud – rassemble les classes moyennes et supérieures.

Les dates de construction des quartiers de la *Zona Sul* témoignent du rythme de croissance de la ville : Flamengo et Botafogo, encore sur la baie de Guanabara, au XIXe siècle, puis, sur l'océan Atlantique, Copacabana dans les années 1920, Ipanema et Leblon dans les années 1950, São Conrado et Barra da Tijuca à partir des années 1970, aujourd'hui les terrains de la *sub-prefeitura* de Santa Cruz/Guaratiba.

roda : roue, ronde, cercle formé par les participants à une séance de capoeira

Romeu e Julieta : mélange sucré-salé de fromage du Minas Gerais et purée de goyave

rua : rue

La *rua das Laranjeiras* monte du *largo do Machado* vers le pied du Corcovado. Elle suit à contre-courant la vallée du *rio* Carioca, où les habitants de Rio de Janeiro construisirent à partir du XVIIe siècle des maisons de campagne, parfois entourées d'orangeraies qui ont légué leur nom à la rue et au quartier.

S

La **ville de Salvado**r da Bahia est située sur la côte atlantique, à l'entrée nord de la Baie de tous les saints – *baía de todos os santos* –, 1 600 kilomètres au nord de Rio de Janeiro.

Première capitale du Brésil portugais, la ville est le cœur de la culture afro-brésilienne, qu'il s'agisse du *candomblé*, de la *capoeira* ou de sa cuisine, la plus célèbre du pays et souvent liée au contexte religieux local.

samba : (mot masculin au Brésil) danse d'origine africaine développée surtout dans les États de Bahia et Rio ; répertoire de chants d'accompagnement ; rythme sous-tendant la danse et les chants

São Conrado : extension de la *Zona Sul* de Rio de Janeiro, en direction de Barra da Tijuca

São João de Meriti est une municipalité autonome de 468 000 habitants en 2008, juste au-delà de la *Zona Norte* de Rio de Janeiro.

saudade : nostalgie, mélancolie, en général douce et plaisante

se Deus quiser : si Dieu le veut, formule rituelle brésilienne

(a) Seleção : (la) Sélection ; surnom de l'équipe nationale brésilienne de *futebol*

sim : oui

T

telenovela : téléroman ; programme-phare de la télévision brésilienne et surtout du Rede Globo qui produit les siennes en interne et les exporte dans le monde entier

terreiro : maison du culte et communauté des initiés (*candomblé*)

toque : rythme

toque de fundamento : rythme doté d'une puissance particulière, en général associé à un *orixá* spécifique (*candomblé*)

torrada : pain grillé

torta : tarte

U

umbanda : culte de possession populaire dans les grandes villes brésiliennes, mêlant des éléments du *candomblé* et du spiritisme. Le spiritisme est une doctrine fondée au XIXe siècle par le Français Allan Kardec sur l'existence et les manifestations d'esprits. L'*umbanda* est souvent décrit comme une magie blanche, par opposition au *quimbanda*, ou magie noire.

V

Vale – ou Companhia Vale do Rio Doce jusqu'en 2007 – a vu le jour en 1942 sous forme de société d'économie mixte. Privatisée en 1997, elle compte aujourd'hui parmi les plus grandes sociétés minières mondiales. Au premier rang pour le minerai de fer et le nickel – depuis le rachat du canadien Inco en 2006 –, Vale est un acteur majeur des marchés du manganèse, du cuivre, de la bauxite, du charbon et du platine. Intégrée verticalement, la société possède des milliers de kilomètres de voie ferrée et des terminaux portuaires. Son slogan: « *Cada vez mais verde. E amarela.* » – Toujours plus verte. Et jaune. –, fait référence à son engagement écologique et aux couleurs du drapeau brésilien.

vatapá: crevettes pilées et morceaux de poisson cuits dans de l'huile de palme et du lait de coco (spécialité culinaire bahianaise)

Veja: *Vois,* hebdomadaire brésilien d'actualité

Vila Isabel: quartier populaire de Rio, connu pour son école de samba

X

Xangô: *orixá* des éclairs, du tonnerre et de la justice (*candomblé*)

xinxim de galinha: poulet à l'huile de palme et à la noix de cajou pilée, spécialité culinaire bahianaise et le plat favori d'Oxum, l'*orixá* de l'amour.

Recette pour 6 personnes:

  un poulet de 1,8 kg

  160 g d'oignons

  100 ml d'huile de palme (*dendê*)

  3 gousses d'ail écrasées

  20 g de noix de cajou écrasées

  20 g de cacahuètes écrasées

  40 g de crevettes séchées

  sel

Couper le poulet en petits morceaux et le laver avec du vinaigre ou du jus de citron. Faire revenir l'oignon et l'ail dans l'huile et ajouter les crevettes, les noix de cajou, les cacahuètes et le poulet; ensuite, y verser peu à peu l'huile de palme jusqu'à cuisson.

Temps de cuisson (20 minutes).

Z

Zona Norte : zone nord, quartiers pauvres et industriels de Rio de Janeiro

Zona Sul : zone sud, quartiers des classes moyennes et supérieures de Rio de Janeiro

Table des matières

Dans le prochain tome
Sous le signe d'Exu

La vision de Justin se concrétise : la *favela* va être jumelée à la ville de La Malbaie. Avant les cérémonies, la police fait une descente dans la *favela*, à la recherche des derniers criminels. Seul Evaldo échappe au coup de filet. Il va implorer l'aide de Justin, qui hésite. Il craint de reconnaître en lui un double maléfique, mais il lui ouvre tout de même les portes de la résidence. Cette nuit-là, Justin est réveillé en sursaut par une lame sur sa gorge.